A ideologia alemã

Dados Internacionais de Catalogação na Publicação (CIP)
(Câmara Brasileira do Livro, SP, Brasil)

Marx, Karl, 1818-1883
  A ideologia alemã : crítica da mais recente filosofia alemã em seus representantes Feuerbach, B. Bauer e Stirner / Karl Marx, Friedrich Engels ; tradução de Milton Camargo Mota. – Petrópolis, RJ : Vozes, 2019. – (Coleção Vozes de Bolso)

  Título original : Die deutsche Ideologie.

  6ª reimpressão, 2023.

  ISBN 978-85-326-6107-4

  1. Comunismo 2. Engels, Friedrich, 1820-1895
  3. Feuerbach, Ludwig, 1804-1872 4. Ideologia
  5. Marx, Karl, 1818-1883 6. Materialismo histórico
  I. Engels, Friedrich, 1820-1895 II. Título. III. Série.

19-25194   CDD-193

Índices para catálogo sistemático:
1. Engels : Obras filosóficas   193
2. Feuerbach : Obras filosóficas   193
3. Marx, Karl : Obras filosóficas   193

Cibele Maria Dias – Bibliotecária – CRB-8/9427

Karl Marx
Friedrich Engels

A ideologia alemã

Crítica da mais recente filosofia alemã
em seus representantes
Feuerbach, B. Bauer e Stirner

Tradução de Milton Camargo Mota

Vozes de Bolso

Tradução do original em alemão intitulado
Die deutsche Ideologie, 1932
Traduzido a partir da edição alemã da Dietz Verlag,
Berlim/DDR, 1969

© desta tradução:
2019, Editora Vozes Ltda.
Rua Frei Luís, 100
25689-900 Petrópolis, RJ
www.vozes.com.br
Brasil

Todos os direitos reservados. Nenhuma parte desta obra poderá ser reproduzida ou transmitida por qualquer forma e/ou quaisquer meios (eletrônico ou mecânico, incluindo fotocópia e gravação) ou arquivada em qualquer sistema ou banco de dados sem permissão escrita da editora.

CONSELHO EDITORIAL

Diretor
Volney J. Berkenbrock

Editores
Aline dos Santos Carneiro
Edrian Josué Pasini
Marilac Loraine Oleniki
Welder Lancieri Marchini

Conselheiros
Elói Dionísio Piva
Francisco Morás
Gilberto Gonçalves Garcia
Ludovico Garmus
Teobaldo Heidemann

Secretário executivo
Leonardo A.R.T. dos Santos

Editoração: Ana Lucia Q.M. Carvalho
Diagramação: Sheilandre Desenv. Gráfico
Revisão gráfica: Lindsay Viola
Capa: Ygor Moretti

ISBN 978-85-326-6107-4

Este livro foi composto e impresso pela Editora Vozes Ltda.

Sumário

Prefácio, 7

1 Feuerbach – Oposição entre as visões materialista e idealista, 9

    [Introdução], 9

  A – A ideologia em geral, em particular a ideologia alemã, 11

    [1] História, 23

    [2] Sobre a produção da consciência, 34

  B – A base real da ideologia, 51

    [1] Intercurso e força produtiva, 51

    [2] Relação do Estado e do direito com a propriedade, 67

    [3] Instrumentos de produção e formas de propriedade naturais e civilizadas, 72

  C – Comunismo – Produção das próprias formas de intercurso, 79

2 Teses sobre Feuerbach, 89

Notas, 93

Prefácio

Até agora, os homens sempre formaram ideias falsas sobre si mesmos, a respeito do que são ou devem ser. Dispuseram suas relações de acordo com suas ideias de Deus, de homem normal etc. Os rebentos de sua cabeça escaparam a seu controle. Eles, os criadores, curvaram-se diante de suas criaturas. Libertemo-los das quimeras, das ideias, dos dogmas, dos entes imaginários, sob cujo jugo eles definham. Rebelemo-nos contra esse domínio de pensamentos. Ensinemo-los, diz um, a trocar essas fantasias por pensamentos que correspondem à natureza do homem; a assumir uma postura crítica em relação a elas, diz outro; a tirá-las da cabeça, diz o terceiro, e a realidade existente ruirá.

Essas fantasias inocentes e infantis formam o núcleo da moderna filosofia dos jovens hegelianos, que não apenas é recebida pelo público na Alemanha com horror e reverência, mas também espalhada pelos próprios *heróis filosóficos* com a consciência solene do perigo cataclísmico e da imprudência criminosa. O primeiro volume desta publicação tem por objetivo desmascarar essas ovelhas, que se consideram e são consideradas lobos; mostrar como elas apenas imitam, com balidos filosóficos, as concepções dos burgueses alemães; como as fanfarrices desses comentadores filosóficos apenas refletem a miséria das condições reais da Alemanha. Seu objetivo é ridicularizar e desacreditar a luta filosófica com as sombras da realidade, que apraz ao sonhador e modorrento povo alemão.

Certa vez, um homem íntegro imaginou que as pessoas se afogavam na água apenas porque estavam possuídas pela *ideia de gravidade*. Se tirassem essa ideia da cabeça, ao, digamos, declará-la uma superstição, uma noção religiosa, elas estariam acima de qualquer risco de afogamento. Ao longo de toda sua vida, ele lutou contra a ilusão da gravidade, de cujas consequências danosas todas as estatísticas forneciam-lhe novas e numerosas provas. Este homem de bem era o tipo dos novos filósofos revolucionários alemães[1].

1
Feuerbach – Oposição entre as visões materialista e idealista

[Introdução]

Como anunciam os ideólogos alemães, a Alemanha passou por uma revolução sem igual nos últimos anos. O processo de decomposição do sistema hegeliano, que começou com Strauss, transformou-se numa fermentação universal, para a qual foram arrastadas todas as "potências do passado". No caos geral, impérios poderosos se formaram, para logo em seguida soçobrarem, heróis surgiram momentaneamente para serem lançados de volta à escuridão por rivais mais ousados e potentes. Foi uma revolução ao lado da qual a francesa é uma brincadeira de criança, uma luta mundial em comparação com a qual as lutas dos diádocos parecem insignificantes. Princípios desalojaram uns aos outros, heróis das ideias derrubaram uns aos outros com rapidez nunca vista, e nos três anos, de 1842 a 1845, desentulhou-se mais coisa na Alemanha do que em outros momentos em três séculos.

Tudo isso teria ocorrido no campo do pensamento puro. Trata-se, por certo, de um evento interessante: o processo de apodrecimento do espírito absoluto. Após a extinção da última centelha de vida, os vários componentes deste *caput mortuum* (literalmente: cabeça morta, termo comum na química para designar um resíduo de destilação; aqui: restos, sobras) entraram em decomposição, formaram novas combinações e constituíram novas substâncias. Os industriais da filosofia, que até então tinham vivido da exploração do espírito absoluto, lançaram-se agora sobre as novas combinações. Cada um se pôs a retalhar, com o maior zelo possível, a parte que lhe coube. Mas isso gerou concorrência, que foi inicialmente conduzida de forma bastante sólida e burguesa. Mais tarde, quando o mercado alemão ficou saturado, e a mercadoria, apesar de todos os esforços, não encontrou saída no mercado mundial, o negócio foi estragado, à moda alemã costumeira, pela produção fabril e fictícia, piora da qualidade, adulteração da matéria-prima, falsificação de rótulos, compras falsas, letras de câmbio sem cobertura e um sistema de crédito sem qualquer base real. A concorrência resultou numa luta encarniçada, que agora é enaltecida e interpretada para nós como uma mudança na história universal, como produtora dos mais prodigiosos resultados e conquistas.

Para avaliar corretamente essa charlatanice filosófica que desperta um benfazejo sentimento nacional até mesmo no seio do cidadão alemão respeitável, para expor com clareza a pequenez, a estreiteza provinciana de todo esse movimento dos jovens hegelianos e, em particular, o contraste tragicômico entre os feitos concretos desses heróis e as ilusões em torno desses feitos, faz-se necessário observar uma vez todo o espetáculo de um ponto de vista situado fora da Alemanha[2].

A – A ideologia em geral, em particular a ideologia alemã

Até seus mais recentes esforços, a crítica alemã nunca abandonou o terreno da filosofia. Longe de examinar suas premissas filosóficas gerais, todas as suas questões brotaram, de fato, no terreno de um sistema filosófico determinado, o hegeliano. Havia uma mistificação não apenas em suas respostas, mas já nas próprias perguntas. Essa dependência de Hegel é a razão pela qual nenhum desses críticos modernos sequer tentou proceder a uma crítica abrangente do sistema hegeliano, por mais que cada um deles afirme estar além de Hegel. Sua polêmica contra Hegel e uns contra os outros se limita ao fato de cada um extrair um aspecto do sistema hegeliano e voltá-lo tanto contra todo o sistema, como contra os aspectos extraídos pelos outros. No início, eles extraíam categorias hegelianas puras, inalteradas, como, por exemplo, substância e autoconsciência; mais tarde, essas categorias foram profanadas por nomes mais mundanos, como espécie, o Único, o Homem etc.

A totalidade da crítica filosófica alemã, de Strauss a Stirner, limita-se à crítica de concepções religiosas[3]. Partiu-se da religião real e da teologia propriamente dita. No estágio seguinte, determinou-se de maneiras diversas o que eram consciência religiosa, concepção religiosa. O progresso consistiu em subsumir também à esfera das ideias religiosas ou teológicas as supostamente dominantes concepções metafísicas, políticas, jurídicas, morais e outras; e, de modo semelhante, em declarar a consciência política, jurídica, moral como consciência religiosa ou teológica, e o homem político, jurídico, moral, em última instância "*o* homem", como religioso. A dominância da religião foi pressuposta. Pouco a pouco, toda relação dominante foi declarada uma relação religiosa e transformada em culto, culto do direito, culto do Estado etc. Em todos os lugares, tudo era uma questão de dogmas e de crença em dogmas. O mundo foi canonizado em extensão cada vez maior, até que finalmente o venerável Santo Max pôde santificá-lo em bloco e, com isso, liquidá-lo de uma vez por todas.

Os velhos hegelianos *compreendiam* todas as coisas tão logo as reduziam a uma categoria lógica hegeliana. Os jovens hegelianos *criticavam* tudo, imputando-lhe ideias religiosas ou declarando-o teológico. Os jovens hegelianos concordam com os velhos hegelianos na crença no domínio da religião, dos conceitos, do universal no mundo existente. A diferença é que uns combatem esse domínio como usurpação, enquanto os outros o celebram como legítimo.

Para esses jovens hegelianos, as ideias, os pensamentos, os conceitos, em geral todos os produtos da consciência, a que eles deram autonomia, são considerados os verdadeiros grilhões dos homens, exatamente como os velhos hegelianos os declararam os laços autênticos da sociedade humana, de modo que é evidente que os jovens hegelianos devem lutar apenas contra essas ilusões da consciência. Como, segundo sua fantasia, as relações dos homens, todos os seus atos, seus grilhões e suas limitações são produtos da sua consciência, os jovens hegelianos logicamente propõem aos homens o postulado moral de trocar sua consciência atual pela consciência humana, crítica ou egoísta e, assim, remover suas limitações. Essa exigência de mudar a consciência equivale à exigência de interpretar o existente de outra maneira, isto é, reconhecê-lo por meio de outra interpretação. Em que pesem suas frases, que supostamente "estremecem o mundo", os ideólogos jovens hegelianos são os maiores conservadores. Os mais jovens dentre eles encontraram a expressão certa para sua atividade, quando afirmam lutar apenas contra "fraseologias". No entanto, eles se esquecem de que opõem a essas fraseologias nada além de fraseologias e não estão de forma alguma combatendo o mundo real existente, se combatem apenas as fraseologias deste mundo. Os únicos resultados que essa crítica filosófica pôde alcançar foram alguns esclarecimentos na história religiosa – ainda por cima, unilaterais – a respeito do cristianismo; todas as suas outras afirmações são apenas mais embelezamentos de sua pretensão de ter fornecido com essas explicações insignificantes descobertas de importância histórico-mundial.

Não ocorreu a nenhum desses filósofos perguntar pela conexão da filosofia alemã com a realidade alemã, pela conexão de sua crítica com seu próprio entorno material.

Os pressupostos de que partimos não são arbitrários, não são dogmas, mas pressupostos reais, dos quais se pode abstrair apenas na imaginação. São os indivíduos reais, sua ação e suas condições de vida materiais, tanto aquelas que eles já encontraram prontas, como aquelas produzidas por sua própria atividade. Esses pressupostos podem, portanto, ser verificados de maneira puramente empírica.

O primeiro pressuposto de toda a história humana é, naturalmente, a existência de indivíduos humanos vivos[4]. O primeiro fato a ser estabelecido é, portanto, a organização corporal desses indivíduos e a relação que esta acarreta, com o restante da natureza. É claro, não podemos aqui nos aprofundar na constituição física dos homens, nem nas condições naturais que o homem encontra já dadas: as condições geológicas, oro-hidrográficas, climáticas e outras[5]. Toda historiografia deve partir desses fundamentos naturais e sua modificação pela ação dos homens no curso da história.

Os homens podem ser distinguidos dos animais pela consciência, pela religião, por qualquer outra coisa que se queira. Eles mesmos começam a se diferenciar dos animais assim que começam a *produzir* seus meios de subsistência, um passo que é condicionado por sua organização física. Ao produzir seus meios de subsistência, os seres humanos indiretamente produzem sua própria vida material.

O modo pelo qual os homens produzem seus meios de subsistência depende, antes de tudo, da própria natureza dos meios de subsistência encontrados e que eles têm de reproduzir. Esse modo de produção não deve ser considerado apenas no sentido de ser ele a reprodução da existência física dos indivíduos. Ele é, antes, um tipo determinado de atividade desses indivíduos, uma maneira determinada de manifestar sua vida, um *modo de vida* determinado. Os indivíduos são tal e como manifestam sua vida. O que eles são coincide, portanto, com sua produção, tanto com *o que* produzem quanto com *como* produzem. O que os indivíduos são depende, portanto, das condições materiais de sua produção.

Essa produção aparece apenas com *o aumento da população*. Esta, por sua vez, pressupõe o intercurso dos indivíduos entre si. A forma desse intercurso é, por seu turno, condicionada pela produção.

As relações das diferentes nações entre si dependem de quanto cada uma delas desenvolveu suas forças produtivas, a divisão do trabalho e o intercurso interno. Esse é um princípio geralmente aceito. Porém, não apenas a relação de uma nação com outra, mas também toda a estrutura interna dessa própria nação dependem do estágio de desenvolvimento de sua produção e de seu intercurso interno e externo. A que ponto as forças produtivas de uma nação são desenvolvidas é mostrado com máxima evidência no grau de desenvolvimento da divisão do trabalho. Cada nova força produtiva, contanto que não seja uma mera extensão quantitativa das forças produtivas já conhecidas (p. ex., o arroteamento de terras), resulta em novo desenvolvimento da divisão do trabalho.

A divisão do trabalho no interior de uma nação leva, primeiramente, à separação do trabalho industrial e comercial do trabalho agrícola e, por conseguinte, à separação de *cidade* e *campo* e ao conflito de interesses de ambos. Seu desenvolvimento posterior leva à separação do trabalho comercial do industrial. Ao mesmo tempo, pela divisão do trabalho nesses diversos ramos, desenvolvem-se diferentes subdivisões entre indivíduos que cooperam em determinados trabalhos. A posição dessas subdivisões particulares umas em relação às outras é condicionada pelo modo de operação dos trabalhos agrícola, industrial e comercial (patriarcalismo, escravidão, estamentos, classes). As mesmas condições são vistas, dado um intercurso mais desenvolvido, nas relações de diferentes nações entre si. Os diferentes estágios de desenvolvimento da divisão do trabalho são outras tantas formas diferentes de propriedade; isto é, cada estágio da divisão de trabalho determina também as relações dos indivíduos entre si no que concerne ao material, ao instrumento e ao produto do trabalho.

A primeira forma de propriedade é a propriedade tribal. Ela corresponde ao estágio de produção não desenvolvido, em que um povo se alimenta da caça e da pesca, da criação de gado ou, no máximo, da agricultura. Ela pressupõe, neste último caso, uma grande massa de terras incultas. A divisão do trabalho neste estágio é ainda bastante rudimentar e limita-se a uma extensão da divisão natural do trabalho já existente na família. A estrutura social é, portanto, limitada a uma extensão da família: chefes patriarcais da tribo, abaixo deles os membros da tribo e, por fim, os escravos. A escravidão latente na família só se desenvolve gradualmente com o aumento da população e das necessidades, e com a expansão do intercurso externo, tanto da guerra quanto da troca.

A segunda forma é a propriedade comunal e estatal da Antiguidade, que resulta especialmente da fusão de várias tribos numa *cidade* por contrato ou conquista, e na qual a escravidão continua existindo. Ao lado da propriedade comunal, já se desenvolve a propriedade privada móvel e, posteriormente, também a imóvel, mas como uma forma anormal, subordinada à propriedade comunal. Os cidadãos têm poder sobre seus escravos trabalhadores apenas em sua comunidade e, já por isso, estão vinculados à forma da propriedade comunal. Essa forma é a propriedade privada comunal dos cidadãos ativos, que, frente aos escravos, são obrigados a permanecer nesse modo natural de associação. Por isso, toda a divisão da sociedade baseada nessa propriedade comunal, e com ela o poder do povo, decaem na mesma medida em que se desenvolve, em particular, a propriedade privada imóvel. A divisão do trabalho já é mais desenvolvida. Já encontramos a oposição entre cidade e campo e, mais tarde, a oposição entre os Estados que representam os interesses da cidade e aqueles que representam os interesses do campo; e no interior das próprias cidades, a oposição entre indústria e comércio marítimo. A relação de classe entre cidadãos e escravos está completamente desenvolvida.

O fato da conquista parece contradizer toda essa concepção da história. Até hoje, a violência, a guerra, a pilhagem, o latrocínio etc. foram tidos como força motriz da história. Podemos aqui nos restringir apenas aos principais pontos e, portanto, tomamos somente o exemplo mais notável, a destruição de uma civilização antiga por um povo bárbaro e a resultante formação, desde o início, de uma nova estrutura da sociedade (Roma e os bárbaros, feudalismo e Gália, Império Romano do Oriente e os turcos). Para o povo bárbaro conquistador, a própria guerra ainda é, como já indicado acima, uma forma de intercurso regular, que é explorado com tanto mais zelo quanto mais o crescimento da população cria a necessidade de novos modos de produção, face ao modo de produção tradicional e rudimentar, o único possível para tal povo. Na Itália, por outro lado, em virtude da concentração da propriedade fundiária (causada não só pela compra e endividamento, mas também por herança, uma vez que, com a grande licenciosidade e a raridade de casamentos, as velhas famílias gradualmente se extinguiram, e suas posses caíram nas mãos de uns poucos) e de sua transformação em pastagens (provocada não só por causas econômicas habituais, ainda hoje vigentes, mas também pela importação de cereais roubados ou exigidos como tributo e pela consequente falta de consumidores para o grão italiano), a população livre quase desapareceu, os próprios escravos não cessavam de morrer e tinham de ser constantemente substituídos por novos. A escravidão seguiu sendo a base de toda a produção. Os plebeus, posicionados entre homens livres e escravos, nunca conseguiram passar da condição de lumpemproletariado. Em geral, Roma nunca ultrapassou a condição de cidade e manteve com as províncias um vínculo quase exclusivamente político, que, é evidente, poderia ser novamente interrompido por eventos políticos.

Com o desenvolvimento da propriedade privada, ocorrem pela primeira vez as mesmas relações que reencontraremos, só que em escala mais ampla, na propriedade privada moderna. Por um lado, a concentração da propriedade privada, que começou muito cedo em Roma (como prova a lei agrícola de Licínio) e progrediu muito rapidamente a partir das guerras civis e especialmente entre os imperadores; por outro lado, em conexão com isso, a transformação dos pequenos camponeses plebeus em um proletariado, que, em sua posição intermediária entre cidadãos proprietários e escravos, não teve um desenvolvimento independente.

A terceira forma é a propriedade feudal ou estamental. Se a Antiguidade partiu da *cidade* e seu pequeno território, a Idade Média partiu do *campo*. A população existente, escassa e esparramada em uma grande área, e que não teve grande crescimento com os conquistadores, causou essa alteração do ponto de partida. Em contraste com Grécia e Roma, o desenvolvimento feudal começa, portanto, em um terreno muito mais amplo, preparado pelas conquistas romanas e pela disseminação da agricultura inicialmente associada a tais conquistas. Os últimos séculos do decadente Império Romano e a conquista pelos bárbaros destruíram uma massa de forças produtivas: a agricultura havia declinado, a indústria decaíra por falta de mercado, o comércio caíra em torpor ou fora violentamente interrompido, e as populações rural e urbana haviam diminuído. Essas condições dadas e o modo de organização da conquista por elas determinado desenvolveram a propriedade feudal, sob a influência da constituição militar germânica. Como as propriedades tribal e comunal, ela se baseia novamente em uma comunidade, em face da qual, contudo, não são mais os escravos, como na Antiguidade, mas os pequenos camponeses em condição de servos que formam a classe diretamente produtiva. Simultaneamente ao desenvolvimento completo do feudalismo, adiciona-se a oposição às cidades. A estrutura hierárquica da propriedade fundiária, e a vassalagem armada associada a ela, davam à nobreza poder sobre os servos. Essa organização feudal, tal como a antiga propriedade comunal, era uma associação frente à classe produtora dominada; no entanto, a forma da associação e a relação com os produtores diretos diferiam porque as condições de produção eram diferentes.

A essa estrutura feudal de propriedade fundiária correspondia, nas cidades, a propriedade corporativa nas cidades, a organização feudal dos ofícios. A propriedade aqui consistia principalmente no trabalho de cada indivíduo. A necessidade da associação contra a nobreza de rapina organizada, a carência de mercados cobertos comuns em um momento em que o industrial era também comerciante, a crescente concorrência dos servos fugitivos que afluíam para as prósperas cidades, a estrutura feudal de todo o país fizeram nascer as *corporações*; os pequenos capitais gradualmente acumulados pelos artesãos individuais e o número estável destes na população crescente desenvolveram a relação de oficial e aprendiz, que originou nas cidades uma hierarquia semelhante àquela do campo.

Portanto, durante a época feudal a propriedade principal consistia, de um lado, na propriedade fundiária e no trabalho servo a ela encadeado e, de outro, no trabalho próprio com um pequeno capital dominando o trabalho dos oficiais. A estrutura de ambos era condicionada pelas limitadas relações de produção – o escasso e rudimentar cultivo do solo e a indústria artesanal. No auge do feudalismo, foi pouca a divisão do trabalho. Cada país tinha em si o contraste entre cidade e campo; a divisão em estamentos era, certamente, bastante definida, mas, à parte, a diferenciação de príncipes, nobreza, clero e camponeses no campo, e mestres, oficiais, aprendizes e em breve também uma plebe de jornaleiros nas cidades, não ocorreu nenhuma divisão significativa. Na agricultura, ela era dificultada pelo cultivo parcelado, ao lado do qual emergiu a indústria doméstica dos próprios camponeses; na indústria, o trabalho absolutamente não era dividido no interior de cada ofício individual, e pouquíssimo dividido entre eles. A separação de indústria e comércio já era encontrada em cidades mais antigas, mas se desenvolveu nas mais novas apenas mais tarde, quando as cidades passaram a se relacionar umas com as outras.

A junção de territórios maiores até formarem reinos feudais era uma necessidade para a nobreza fundiária, bem como para as cidades. Por isso, a organização da classe dominante, a nobreza, era em toda parte encabeçada por um monarca.

O fato é, portanto, este: indivíduos determinados, que são produtivamente ativos de determinada maneira, entram nessas relações sociais e políticas determinadas. A observação empírica deve mostrar, em cada caso separado, empiricamente e sem qualquer mistificação ou especulação, a conexão entre a estrutura social e política e a produção. A estrutura social e o Estado emergem continuamente do processo de vida de indivíduos determinados, mas não como esses indivíduos podem aparecer na representação própria ou na alheia, mas como eles *realmente* são, isto é, como eles atuam, como produzem materialmente; portanto, como agem sob limites, pressupostos e condições materiais determinados e independentes de sua vontade[6].

A produção de ideias, de representações, da consciência está, inicialmente, entrelaçada diretamente na atividade material e no intercurso material dos homens, a linguagem da vida real. O representar, o pensar, o intercurso intelectual dos homens aparecem aqui ainda como emanação direta de seu comportamento material. O mesmo se aplica à produção intelectual, tal como ela se apresenta na linguagem da política, das leis, da moral, da religião, da metafísica etc. de um povo. Os homens são os produtores de suas representações, suas ideias etc., mas homens reais, ativos, condicionados por um desenvolvimento determinado de suas forças produtivas e do intercurso a estas correspondente, alcançando suas formações mais avançadas. A consciência nunca pode ser outra coisa senão o ser consciente, e o ser dos homens é seu processo de vida real. Se, em toda a ideologia, os homens e suas relações aparecem de cabeça para baixo como em uma câmara escura, este fenômeno deriva do seu processo de vida histórico, tal como a inversão dos objetos na retina deriva de seu processo de vida diretamente físico.

Em total oposição à filosofia alemã, que desce do céu para a terra, aqui se sobe da terra ao céu. Isto é, não se parte do que os homens dizem, imaginam ou representam para si, nem dos homens narrados, pensados, imaginados, concebidos, para daí chegar aos homens de carne e osso; parte-se de homens realmente ativos e, com base em seu processo de vida real, também se representa o desenvolvimento dos reflexos e dos ecos ideológicos desse processo de vida. As formações nebulosas no cérebro dos homens também são sublimações que resultam necessariamente de seu processo material de vida, que é empiricamente verificável e ligado a pressupostos materiais. Moral, religião, metafísica e toda outra ideologia e suas correspondentes formas de consciência perdem, portanto, qualquer aparência de independência. Elas não têm história, não têm desenvolvimento; ao contrário, os homens, desenvolvendo sua produção material e seu intercurso material, também transformam seu pensamento e os produtos do seu pensamento, ao transformar essa sua realidade. Não é a consciência que determina a vida, mas a vida que determina a consciência. No primeiro modo de ver, parte-se da consciência tomada como o indivíduo vivo; no segundo, que corresponde à vida real, parte-se dos próprios indivíduos vivos reais e se considera a consciência apenas como *sua* consciência.

Esse modo de ver não é destituído de pressupostos. Ele parte de pressupostos reais e não os abandona nem por um instante. Suas premissas são os homens, não em algum isolamento ou fixidez fantásticos, mas em seu processo de desenvolvimento real, empiricamente perceptível, sob condições determinadas. Tão logo esse processo ativo de vida é representado, a história deixa de ser uma coleção de fatos mortos, como no caso dos empiristas, eles próprios ainda abstratos, ou uma ação imaginada de sujeitos imaginados, como no caso dos idealistas.

Onde cessa a especulação na vida real, aí começa a ciência real, positiva, a apresentação da atividade prática, o processo prático de desenvolvimento dos homens. Cessam as frases sobre a consciência, e o conhecimento real deve tomar seu lugar. Com a representação da realidade, a filosofia independente perde seu meio de existência. Pode ser substituída, quando muito, por uma síntese dos resultados mais gerais, que podem ser abstraídos da consideração do desenvolvimento histórico dos homens. Separadas da história real, essas abstrações não têm, por si, valor algum. Só servem para facilitar a ordem do material histórico, indicar a sequência de seus estratos individuais. Mas não dão, de maneira nenhuma, como a filosofia, uma receita ou esquema segundo o qual as épocas históricas podem ser acomodadas. Pelo contrário, a dificuldade só começa quando se passa à consideração e ordenação do material, seja de uma época passada ou do presente, à representação real. A eliminação dessas dificuldades é condicionada por pressuposições que não podem de modo algum ser dadas aqui, mas que resultam apenas do estudo do processo de vida real e da ação dos indivíduos de cada época. Vamos selecionar aqui algumas dessas abstrações, que usamos em contraposição à ideologia, e ilustrá-las por exemplos históricos.

[1] História

Em face dos alemães, destituídos de pressupostos, devemos começar afirmando a primeira pressuposição de toda a existência humana e, portanto, de toda a história, a saber, a pressuposição de que os homens devem estar em condição de viver para "fazer história"[7]. Mas da vida fazem parte, acima de tudo, comer e beber, habitação, vestuário e algumas outras coisas. O primeiro ato histórico é, portanto, a produção dos meios para satisfazer essas necessidades, a produção da própria vida material; e, de fato, esse é um ato histórico, uma condição fundamental de toda a história, que ainda hoje, tal como há milhares de anos, deve ser cumprido diariamente e a cada hora, apenas para manter as pessoas vivas. Mesmo quando o mundo sensível é reduzido ao mínimo, a um bastão, como em São Bruno, ele pressupõe a atividade de produzir esse bastão. Portanto, a primeira coisa a fazer em qualquer concepção histórica é observar esse fato fundamental em todo o seu significado e extensão e atribuir-lhe a devida importância. Como se sabe, os alemães nunca fizeram isso e, portanto, nunca tiveram uma base *terrena* para a história e, consequentemente, nunca tiveram um historiador. Os ingleses e os franceses, ainda que tenham concebido a relação desse fato com a assim chamada história apenas de modo bastante unilateral, particularmente enquanto permaneceram enredados na ideologia política, fizeram, contudo, as primeiras tentativas de conferir à historiografia uma base materialista, ao serem os primeiros a escrever histórias da sociedade civil, do comércio e da indústria.

O segundo ponto é que a própria primeira necessidade satisfeita, a ação da satisfação e o instrumento de satisfação já adquirido levam a novas necessidades – e essa produção de novas necessidades é o primeiro ato histórico. Por aqui se vê, desde já, de quem descende espiritualmente a grande sabedoria histórica dos alemães, que, onde ficam sem material positivo e onde não se delibera sobre nenhum disparate teológico nem político, nem literário, não reconhecem nenhuma história, mas o "tempo pré-histórico", sem, contudo, nos explicar como desse absurdo da "pré-história" se chega à história propriamente dita – ainda que, por sua vez, sua especulação histórica se lance com bastante afinco sobre essa "pré-história", porque ali ela acredita estar a salvo da interferência do "fato bruto" e, ao mesmo tempo, porque pode dar rédeas largas a seus instintos especulativos e produzir e derrubar hipóteses aos milhares.

A terceira relação, que já desde o início entra no desenvolvimento histórico, é que os homens, que diariamente refazem sua própria vida, começam a fazer outros homens, a reproduzir-se; a relação entre homem e mulher, pais e filhos, a *família*. Essa família, que inicialmente é a única relação social, torna-se mais tarde, quando o aumento das necessidades produz novas relações sociais, e o aumento do número de homens produz novas necessidades, uma relação subordinada (exceto na Alemanha) e deve ser tratada e analisada segundo os dados empíricos existentes, não segundo o "conceito de família", como é costume na Alemanha[8]. De resto, esses três aspectos da atividade social não devem ser compreendidos como três estágios diferentes, mas justamente apenas como três aspectos, ou para escrever claro para os alemães, três "momentos" que existiram simultaneamente desde os primórdios da história e desde os primeiros homens e que ainda hoje se valem fazer na história.

A produção da vida, tanto da própria no trabalho como da alheia na procriação, aparece agora como uma relação dupla – por um lado, como relação natural, por outro, como relação social –; social no sentido de que por ela se entende a cooperação de vários indivíduos, não importa em que condições, de que maneira e com que finalidade. Segue-se daí que um modo de produção determinado ou uma fase industrial determinada estão sempre associados a um modo determinado de cooperação ou estágio social; e esse modo de cooperação é, ele próprio, uma "força produtiva". Também se segue daí que a quantidade de forças produtivas acessíveis ao homem condiciona o estado social; e, portanto, a "história da humanidade" deve sempre ser estudada e tratada em conexão com a história da indústria e da troca. Mas também está claro como é impossível escrever uma história assim na Alemanha, porque faltam aos alemães não só a capacidade de concepção e o material, mas também a "certeza sensível", e não se pode ter experiência dessas coisas do outro lado do Reno, porque ali já não ocorre história alguma. Mostra-se, portanto, desde o início, uma conexão materialista dos homens entre si, condicionada pelas necessidades e pelo modo de produção e tão antiga quanto os próprios homens – uma conexão que está sempre assumindo novas formas e, portanto, apresenta também uma "história", mesmo que não exista nenhum absurdo político ou religioso que, além disso, também una os homens.

Somente agora, depois de já termos considerado quatro momentos, quatro lados das relações históricas originais, descobrimos que o homem também tem "consciência"[9]. Mas essa também não é, desde o início, consciência "pura". O "espírito" traz em si, desde o início, a maldição de ser "acometido" pela matéria, que aparece aí na forma de camadas móveis de ar, sons, em suma, na forma da linguagem. A linguagem é tão antiga quanto a consciência – a linguagem *é* a consciência prática, real, que existe para os outros homens e, portanto, só assim existe também para mim mesmo; e a linguagem, como a consciência, emerge apenas da necessidade, da carência física do intercurso com outros homens[10]. Onde existe uma relação, ela existe para mim, o animal não "se relaciona" com nada, nem sequer "se relaciona". Para o animal, sua relação com os outros não existe como relação. Desde o início, a consciência já é, portanto, um produto social e continuará a sê-lo enquanto existirem homens. A consciência, claro, é inicialmente mera consciência do entorno sensível *mais imediato* e consciência da conexão limitada com outras pessoas e coisas fora do indivíduo que está se tornando consciente. Ao mesmo tempo, ela é consciência da natureza, que inicialmente se apresenta ao homem como uma força completamente estranha, onipotente e inexpugnável, com a qual os homens se relacionam de uma maneira puramente animal e pela qual se deixam impressionar como o gado; é, portanto, uma consciência puramente animal da natureza (religião natural).

Vê-se imediatamente que essa religião natural ou essa relação determinada com a natureza são condicionadas pela forma da sociedade e vice-versa. Aqui, como em toda parte, a identidade da natureza e do homem também aparecem de tal modo que a relação limitada dos homens com a natureza condiciona sua relação limitada uns com os outros, justamente porque a natureza ainda está muito pouco modificada historicamente, e, por sua vez, a consciência da necessidade de entrar em conexão com os indivíduos ao redor é o começo da consciência de que ele vive, de fato, em uma sociedade. Esse princípio é tão animal como a própria vida social nesta fase. É apenas consciência gregária, e o homem se distingue do carneiro apenas pelo fato de que nele sua consciência toma o lugar do instinto ou de que seu instinto é consciente. Essa consciência de carneiro, ou consciência tribal, recebe seu desenvolvimento e aperfeiçoamento ulteriores por meio da produtividade aumentada, do aumento das necessidades e do aumento da população, que é fundamental para os dois primeiros. Com isso se desenvolve a divisão do trabalho, que originalmente nada mais era que a divisão do trabalho no ato sexual, depois a divisão do trabalho que se desenvolve "natural" ou espontaneamente, em virtude de disposições naturais (p. ex., a força física), necessidades, acidentes etc. etc. A divisão do trabalho só se torna realmente divisão a partir do momento em que ocorre uma divisão entre trabalho material e intelectual[11]. A partir desse momento, a consciência *pode* realmente imaginar ser algo diferente da consciência da prática existente, representar *realmente* algo sem representar algo real – a partir desse momento, a consciência está em posição de se emancipar do mundo e passar à formação da teoria, teologia, filosofia, moral etc. "puras". Mas mesmo que tal teoria, teologia, filosofia, moral etc. entrem em contradição com as relações existentes, isso só pode ocorrer porque as relações sociais existentes entraram em contradição com a força produtiva existente – o que, de resto, também pode ocorrer em um determinado círculo nacional de relações, pelo fato de a contradição aparecer não no interior desse círculo nacional, mas entre essa consciência nacional e a prática de outras nações[12], isto é, entre a consciência nacional de uma nação e sua consciência geral.

De resto, é totalmente indiferente o que a consciência começa a fazer sozinha; obtemos de toda essa sujeira apenas o seguinte resultado: esses três momentos, a força produtiva, o estado social e a consciência, podem e devem entrar em conflito uns com os outros, porque com a *divisão do trabalho* está dada a possibilidade, até mesmo a realidade, de que as atividades intelectual e material – de que o prazer e o trabalho, a produção e o consumo – recaem sobre diferentes indivíduos, e a única possibilidade de que não se contradigam reside no fato de que a divisão do trabalho seja, novamente, abolida. Além do mais, é evidente que os "fantasmas", "vínculos", "ser supremo", "conceito", "escrupulosidade" são meramente a expressão espiritual, idealista, a ideia aparentemente do indivíduo isolado, a representação de grilhões e limites muito empíricos, dentro dos quais se movem o modo de produção da vida e a forma de intercurso ligada a esse modo.

Com a divisão do trabalho, que implica todas essas contradições e que, por sua vez, é baseada na divisão natural do trabalho na família e na separação da sociedade em famílias individuais, opostas umas às outras, está dada também, ao mesmo tempo, a distribuição, mais precisamente a distribuição *desigual*, quantitativa e qualitativa, do trabalho e seus produtos, e, portanto, está dada a propriedade, que já tem seu germe, sua primeira forma na família, onde a esposa e os filhos são os escravos do homem. A escravidão latente na família, embora ainda muito rústica, é a primeira propriedade, que, aliás, já corresponde perfeitamente à definição dos economistas modernos, segundo a qual ela consiste em dispor da força de trabalho alheia. Além disso, divisão do trabalho e propriedade privada são expressões idênticas – na primeira se afirma, em relação à atividade, a mesma coisa que se afirma, na segunda, em relação ao produto da atividade.

Ademais, a divisão do trabalho implica, ao mesmo tempo, a contradição entre o interesse do indivíduo singular ou da família singular e o interesse coletivo de todos os indivíduos que interagem uns com os outros; de fato, esse interesse coletivo não existe meramente na imaginação, como "geral", mas, antes de tudo, na realidade, como interdependência dos indivíduos entre os quais o trabalho é dividido. E, finalmente, a divisão do trabalho nos oferece o primeiro exemplo do fato de que, enquanto os homens se encontram na sociedade natural, enquanto, portanto, existe a cisão entre o interesse particular e o comum, enquanto a atividade, portanto, não é dividida voluntariamente, mas naturalmente, a ação própria do homem se torna um poder que lhe é estranho e que lhe é oposto, que o subjuga em vez de ser ele que o domina. Pois, tão logo o trabalho começa a ser distribuído, cada homem tem uma esfera exclusiva e determinada de atividade, que lhe é imposta, da qual ele não pode se livrar; ele é caçador, pescador ou pastor ou crítico, e assim deve permanecer, se não quiser perder seu meio de vida – ao passo que na sociedade comunista, onde ninguém tem uma esfera exclusiva de atividade, mas cada um pode se aperfeiçoar em qualquer ramo que lhe aprouver, a sociedade regula a produção geral e assim me torna possível fazer isso hoje, aquilo amanhã, caçar de manhã, pescar à tarde, cuidar do gado à noite, criticar após o jantar, a meu bel-prazer, sem nunca me tornar caçador, pescador, pastor ou crítico. Essa fixação da atividade social, essa consolidação de nosso próprio produto em um poder objetivo acima de nós, escapando a nosso controle, frustrando nossas expectativas, aniquilando nossos cálculos, é um dos principais momentos no desenvolvimento histórico até hoje. É justamente essa contradição entre o interesse particular e o interesse coletivo que leva este último a assumir uma forma independente como *Estado*, separada dos reais interesses dos indivíduos e do todo, e ao mesmo tempo como comunidade ilusória, mas sempre sobre a base real dos liames presentes em qualquer conglomerado familiar e tribal, como, por exemplo, carne e sangue, linguagem, divisão do trabalho em maior escala e outros interesses – e, especialmente, como desenvolveremos mais tarde, os interesses das classes já condicionadas pela divisão do trabalho, classes que, em toda massa de homens desse tipo, se diferenciam, e dentre as quais uma domina todas as demais. Segue-se daí que todas as lutas no interior do Estado, a luta entre democracia, aristocracia e monarquia, a luta pelo direito de voto etc. etc. nada mais são do que as formas ilusórias em que são travadas as lutas reais das diferentes classes entre si (algo de que os teóricos alemães não suspeitam uma sílaba sequer, não obstante o fato de lhes ter sido dada orientação suficiente nos *Deutsch--Französische Jahrbücher* e *Die heilige Familie*); segue-se daí também que toda classe que aspira à dominação, mesmo quando essa dominação, como no caso do proletariado, exige a abolição de toda a antiga forma social e a dominação em geral, deve primeiramente conquistar o poder político, a fim de apresentar, por sua vez, seu interesse como o interesse geral, coisa que está obrigada a fazer desde o primeiro momento. Precisamente porque os indivíduos buscam *apenas* seu interesse particular, que para eles não coincide com seu interesse comunitário – o geral é, de fato, a forma ilusória da comunidade –, esse interesse comunitário é feito valer como um interesse que lhes é "estranho" e "independente", um interesse geral que é, por sua vez, ele próprio, especial e peculiar; ou eles mesmos têm de se mover nessa discordância, como é o caso na democracia. Por outro lado, a luta *prática* desses interesses particulares, que *realmente* se contrapõem constantemente aos interesses comunitários e comunitários ilusórios, também torna necessários a intervenção e o refreamento *práticos* por meio do interesse "geral" ilusório em forma de Estado. O poder social, ou seja, a multiplicada força produtiva que nasce da cooperação dos diferentes indivíduos condicionada pela divisão do trabalho, aparece a esses indivíduos – porque a própria cooperação não é voluntária, mas natural – não como seu próprio poder unificado, mas como uma força alheia, existente fora deles, da qual não sabem a origem nem o destino, uma força que eles não podem mais controlar e que, pelo contrário, atravessa uma peculiar sequência de fases e estágios de desenvolvimento, uma sequência independente da vontade e da ação dos homens e que até mesmo dirige essa ação e essa vontade.

Essa "alienação", para continuarmos compreensíveis ao filósofo, evidentemente só pode ser abolida sob dois pressupostos *práticos*. Para que ela se torne um poder "insuportável", isto é, um poder contra o qual se faz uma revolução, é necessário que ela tenha produzido a massa da humanidade como totalmente "sem propriedade" e ao mesmo em contradição com um mundo existente de riqueza e cultura, duas condições que pressupõem um grande aumento da força produtiva, um alto grau de desenvolvimento – e, por outro lado, esse desenvolvimento das forças produtivas (que já implica, de imediato, a existência empírica dos homens, presente no plano histórico-mundial e não em sua vida local) é um pressuposto prático absolutamente necessário, porque sem ele apenas se generaliza a *escassez*, e, portanto, com a *penúria* recomeçaria a luta pelo necessário, e toda a velha imundície teria de se restabelecer; e também porque apenas com esse desenvolvimento universal das forças produtivas dos homens é estabelecido um intercurso *universal* dos homens e, com isso, produz-se o fenômeno da massa "sem propriedade" simultaneamente em todas as nações (concorrência geral), tornando cada uma delas dependente das revoluções das outras, e finalmente se colocam indivíduos empiricamente universais, *histórico-mundiais*, no lugar dos indivíduos locais. Sem isso, 1) o comunismo poderia existir apenas como fenômeno local; 2) os *poderes* do intercurso não teriam, eles próprios, podido se desenvolver como universais e, por isso, como insuportáveis; teriam permanecido como "circunstâncias" derivadas de superstições locais; 3) qualquer extensão do intercurso aboliria o comunismo local. O comunismo é empiricamente possível apenas como o ato "súbito" e simultâneo dos povos dominantes, o que pressupõe o desenvolvimento universal das forças produtivas e o intercurso mundial vinculado ao comunismo. Como, aliás, a propriedade, por exemplo, teria podido ter uma história, assumir várias formas? E como, digamos, a propriedade fundiária teria podido, conforme as diferentes condições existentes, passar do parcelamento para a centralização em poucas mãos na França, e da centralização em poucas mãos para o parcelamento na Inglaterra, como é realmente o caso hoje? E como explicar que o comércio, que não é nada mais do que a troca de produtos de diferentes indivíduos e países, domine o mundo inteiro pela relação de oferta e demanda – uma relação que, como diz um economista inglês, paira sobre a terra como o destino antigo e, com uma mão invisível, distribui felicidade e infelicidade entre os homens, funda impérios e destrói impérios, faz nascer e desaparecer nações – ao passo que, com a abolição da base, da propriedade privada, com a regulação comunista da produção, que também aniquila a estranheza com que os homens se relacionam com o seu produto próprio, o poder da relação de oferta e demanda se reduziria a nada e os homens retomariam o controle da troca, da produção, da maneira de sua inter-relação?

O comunismo não é para nós um *estado de coisas* a ser estabelecido, um *ideal* pelo qual a realidade deverá se pautar. Nós chamamos comunismo o movimento *real*, que abole o estado de coisas atual. As condições desse movimento resultam do pressuposto atualmente existente. De resto, a massa de *meros* trabalhadores – a força de trabalho massiva, cortada do capital ou de qualquer satisfação ainda que limitada – e também, portanto, a perda não mais temporária desse próprio trabalho como fonte garantida de existência pressupõem o mercado mundial por meio da concorrência. Portanto, o proletariado pode existir apenas em escala *histórico-mundial*, assim como o comunismo, a atividade desse proletariado só pode ter uma existência "histórico-mundial"; existência histórico-mundial dos indivíduos; isto é, existência dos indivíduos diretamente vinculada à história mundial.

A forma de intercurso condicionada pelas forças de produção existentes em todos os estágios históricos precedentes e que, por sua vez, as condiciona é a *sociedade civil*, que, como se deduz do que foi acima exposto, tem por pressuposto e fundamento a família simples e a família composta, a assim chamada tribo; as determinações mais precisas dessa sociedade são encontradas acima. Aqui já é evidente que esta sociedade civil é o verdadeiro foco e cenário de toda a história, e quão absurda é a concepção anterior da história, que negligencia as relações reais e se restringe às altissonantes ações de chefes e de Estados[13].

A sociedade civil abrange todo o intercurso material dos indivíduos dentro de um estágio determinado de desenvolvimento das forças produtivas. Abrange o conjunto da vida comercial e industrial de um estágio e, nesse sentido, transpõe o Estado e a nação, embora deva, também, se afirmar para o exterior como uma nacionalidade, e organizar-se como Estado para o interior. O termo "sociedade civil" (*bürgerliche Gesellschaft*) surgiu no século XVIII, quando as relações de propriedade já haviam se soltado da comunidade antiga e medieval. A sociedade civil, como tal, desenvolve-se apenas com a burguesia; a organização social que se desenvolve diretamente da produção e do comércio, e que forma em todos os tempos a base do Estado e da restante superestrutura idealista, foi continuamente designada pelo mesmo nome.

[2] Sobre a produção da consciência

Na história até o momento presente, é certamente um fato empírico que os indivíduos singulares, com a expansão da atividade para uma atividade histórico-mundial, se tornaram cada vez mais escravos de um poder que lhes é estranho (pressão que eles conceberam como chicana do chamado espírito do mundo etc.), um poder que se tornou mais e mais massivo e, em última instância, identifica-se como *mercado mundial*. Mas está do mesmo modo empiricamente estabelecido que, com a derrubada do estado social existente pela revolução comunista (de que falaremos mais abaixo) e com a abolição (idêntica àquela derrubada) da propriedade privada, esse poder tão misterioso para os teóricos alemães é dissolvido e, então, a libertação de cada indivíduo se realiza na mesma medida em que a história é completamente transformada em história mundial. O que se expôs acima deixa claro que a verdadeira riqueza intelectual do indivíduo depende inteiramente da riqueza de suas relações reais. É apenas dessa maneira que os indivíduos particulares são libertos das diferentes limitações nacionais e locais, são postos em relação prática com a produção de todo o mundo (incluindo a produção intelectual) e em condições de adquirir a capacidade de usufruir essa produção total no mundo inteiro (criações dos homens). A dependência *universal*, essa forma natural da cooperação histórico-mundial dos indivíduos, é transformada, por essa revolução comunista, no controle e no consciente domínio desses poderes que, engendrados pela ação dos homens uns sobre os outros, até aqui lhes causaram assombro como potências totalmente estranhas e os dominaram. Essa visão pode agora ser novamente concebida em termos especulativo-idealistas, isto é, fantasticamente, como a "autogeração da espécie" (a "sociedade como sujeito"), e, com isso, a série sucessiva de indivíduos conectados uns com os outros é representada como um único indivíduo, que realiza o mistério de gerar a si mesmo. Vê-se aqui que os indivíduos, certamente, fazem *uns aos outros*, física e espiritualmente, mas não fazem a si mesmos, nem no sentido absurdo de São Bruno, nem no sentido do "Único", do homem "feito".

Essa concepção da história baseia-se, portanto, em desenvolver o processo real de produção, partindo da produção material da vida imediata, e em conceber a forma de intercurso associada a esse modo de produção e por ele engendrada (ou seja, a sociedade civil em suas diversas fases) como o fundamento de toda a história e tanto apresentá-la em sua ação como Estado, quanto explicar, a partir dela, todos os diferentes produtos teóricos e formas da consciência, religião, filosofia, moral etc. etc. e seguir o seu processo de surgimento a partir desses produtos, o que, em seguida, é claro, permite representar a coisa em sua totalidade (e também, portanto, a interação desses lados diferentes). Diferentemente da visão idealista da história, ela não precisa buscar uma categoria em cada período, mas permanece constantemente no solo real da história, não explica a prática a partir da ideia, mas explica as formações de ideias a partir da prática material e chega, assim, à conclusão de que todas as formas e produtos da consciência não podem ser dissolvidos por críticas intelectuais, por sua dissolução em "autoconsciência" ou transformação em "assombrações", "fantasmas", "manias" etc., mas somente pela derrubada prática das condições sociais efetivas que deram origem a essas bobagens idealistas – não a crítica, mas a revolução é a força motriz da história, bem como da religião, da filosofia e outras teorias. Essa concepção mostra que a história não termina por dissolver-se, como "espírito do espírito", em "autoconsciência", mas que nela se encontra, em cada estágio, um resultado material, uma soma de forças produtivas, uma relação historicamente criada com a natureza e de indivíduos entre si, que cada geração transmite à subsequente, uma massa de forças produtivas, de capital e de circunstâncias, que, de um lado, é modificada pela nova geração, mas, de outro, prescreve a ela suas próprias condições de vida e lhe confere um desenvolvimento particular, um caráter especial. Ela mostra, portanto, que as circunstâncias fazem os homens tanto como os homens fazem as circunstâncias. Essa soma de forças produtivas, capitais e formas de intercurso social que cada indivíduo e cada geração encontram como algo dado é o fundamento real daquilo que os filósofos conceberam como "substância" e "essência do homem", daquilo que eles deificaram e combateram, um fundamento real que, em seus efeitos e influências sobre o desenvolvimento dos homens, não é minimamente perturbado pelo fato de esses filósofos se rebelarem contra ele como "autoconsciência" e o "Único". Essas condições de vida que as diferentes gerações já encontram decidem também se os abalos revolucionários, recorrentes periodicamente na história, serão ou não fortes o suficiente para derrubar as bases de tudo o que existe. E se esses elementos materiais de uma subversão total não estão presentes – a saber, as forças produtivas, de um lado, e, de outro, a formação de uma massa revolucionária, que se revoluciona não só contra as condições particulares da sociedade existente até então, mas contra a própria "produção da vida" prevalecente até agora, a "atividade total" em que ela se baseava –, será completamente indiferente para o desenvolvimento prático se a *ideia* desta subversão já foi anunciada cem vezes, como o prova a história do comunismo.

Toda a concepção da história até agora ou negligenciou completamente essa base real da história, ou a considerou apenas como uma questão secundária, que nada tem a ver com o curso histórico. A história deve, por isso, sempre ser escrita de acordo com um padrão fora dela; a produção real da vida aparece como algo pré-histórico, enquanto o histórico aparece como algo extra e supramundano, separado da vida comum. Com isso, a relação entre homem e natureza é excluída da história, o que cria a oposição entre natureza e história. Por conseguinte, essa concepção foi capaz de ver na história apenas as principais ações políticas de chefes e Estados e lutas religiosas e teóricas de modo geral; e especialmente em todas as épocas históricas, teve de compartilhar a *ilusão dessa época*. Por exemplo, se uma época imagina ser determinada por motivos puramente "políticos" ou "religiosos", embora "religião" e "política" sejam apenas formas de seus reais motivos, seu historiador aceita essa opinião. A "imaginação", a "representação" desses homens particulares a respeito de sua prática real é transformada no único poder determinante e ativo, que controla e determina a prática desses homens. Se a forma bruta em que a divisão do trabalho aparece entre os indianos e egípcios suscita o sistema de castas entre esses povos em seu Estado e sua religião, o historiador acredita que o sistema de castas é a força que produziu essa forma social bruta. Enquanto os franceses e os ingleses pelo menos mantêm a ilusão política, que ainda é a que mais se aproxima da realidade, os alemães se movem no reino do "espírito puro" e fazem da ilusão religiosa a força motriz da história. A filosofia hegeliana da história é a última consequência, levada à sua "mais pura expressão", de toda essa historiografia alemã, em que não se trata de interesses reais, nem mesmo políticos, mas de pensamentos puros, que então também devem parecer a São Bruno como uma série de "pensamentos" que devoram uns aos outros e finalmente submergem na "autoconsciência"; e, de forma ainda mais coerente, para São Max Stirner, que não sabe nada de toda a história real, esse curso histórico deve parecer como uma mera história de "cavaleiros", ladrões e fantasmas, de cujas visões ele, evidentemente, só pode se salvar pela "dessacralização"[14]. Essa concepção é realmente religiosa, assume o homem religioso como o homem primitivo, do qual parte toda a história, e substitui, em sua imaginação, a produção real dos meios de vida e da própria vida pela produção religiosa de fantasias. Toda essa concepção da história, juntamente com sua dissolução e os escrúpulos e dúvidas dela resultantes, é um assunto puramente *nacional* dos alemães e tem apenas interesse *local* para a Alemanha, como, por exemplo, a questão importante, muito discutida recentemente: como propriamente "se passa do reino de Deus para o reino dos homens", como se esse "Reino de Deus" sempre tivesse existido em outro lugar que não na imaginação, e esses doutos cavalheiros não tivessem vivido continuamente, sem o saber, no "reino dos homens", do qual buscam agora o caminho, e como se o divertimento científico (pois não passa disso) de explicar o aspecto curioso dessa nebulosidade teórica não consistisse, pelo contrário, em provar que sua origem se encontra nas condições terrenas reais. Em geral, esses alemães estão sempre preocupados em resolver em alguma outra extravagância o absurdo que encontram, isto é, pressupor que todo esse absurdo tem um *sentido* à parte, a ser descoberto, ao passo que é tudo apenas uma questão de explicar essa fraseologia teórica com base nas relações reais existentes. A dissolução real e prática dessa fraseologia, a eliminação dessas ideias da consciência dos homens, são efetuadas, como já foi dito, por uma alteração das circunstâncias, e não por deduções teóricas. Para a massa dos homens, isto é, para o proletariado, essas representações teóricas não existem e, portanto, também não precisam ser dissolvidas para ela; e se essa massa alguma vez já teve representações teóricas próprias, por exemplo, religião, estas há muito já foram dissolvidas pelas circunstâncias.

O caráter puramente nacional dessas questões e soluções também se mostra no fato de que esses teóricos creem, com toda a seriedade, que quimeras como "homem-deus", "o Homem" etc. presidiram os vários períodos da história – São Bruno vai ainda mais longe ao afirmar que apenas "a crítica e os críticos fizeram história" – e, quando eles próprios se entregam a construções históricas, saltam com a maior pressa sobre todos os períodos anteriores e passam imediatamente do "mongolismo" para a história realmente "repleta de conteúdo", ou seja, a história dos *Hallische Jahrbücher* e *Deutsche Jahrbücher* e para a dissolução da escola hegeliana em uma contenda geral. Todas as outras nações, todos os eventos reais são esquecidos, o *Theatrum mundi* restringe-se à feira de livro de Leipzig e às controvérsias recíprocas da "Crítica", do "Homem" e do "Único". Se a teoria resolve tratar, talvez por uma vez, de tópicos realmente históricos, como o século XVIII, ela nos fornece apenas a história das representações, arrancadas dos fatos e desenvolvimentos práticos que estão em sua base, e até mesmo isso somente com a intenção de representar esse período como um estágio preliminar imperfeito, como os predecessores ainda limitados da verdadeira época histórica, isto é, a época da luta dos filósofos alemães de 1840 a 1844. Portanto, esse objetivo de escrever uma história anterior a fim de fazer resplandecer mais a glória de uma pessoa não histórica e de suas fantasias implica não mencionar nenhum evento verdadeiramente histórico, nem mesmo as intervenções realmente históricas da política na história, e oferecer, em vez disso, uma narrativa não baseada em pesquisas, mas em construções e em fofocas literárias – como fez São Bruno em sua agora esquecida *História do século XVIII*. Esses pomposos e arrogantes merceeiros de ideias, que acreditam estar infinitamente acima de todos os preconceitos nacionais, são, pois, na prática, muito mais nacionais do que os filisteus de cervejaria que sonham com a unidade alemã. Não reconhecem como históricos os feitos de outras nações, vivem na Alemanha, para a Alemanha e pela Alemanha, transformam a canção do Reno em um hino religioso e conquistam a Alsácia-Lorena roubando a filosofia francesa em vez do Estado francês e germanizando os pensamentos franceses em vez das províncias francesas. O Senhor Venedey é um cosmopolita se comparado com São Bruno e São Max, que, no domínio mundial da teoria, proclamam o domínio mundial da Alemanha.

Depreende-se também dessas argumentações como Feuerbach se engana quando (na *Wigand's Vierteljahrsschrift*, 1845, vol. 2), por meio da qualificação "homem comum", declara-se um comunista, transforma esse último em um predicado "do" homem e, portanto, crê poder transformar a palavra "comunista", que no mundo real designa o membro de um determinado partido revolucionário, em uma mera categoria. Toda a dedução de Feuerbach concernente à relação dos humanos entre si visa apenas provar que os homens necessitam e *sempre necessitaram* uns dos outros. Ele pretende estabelecer a consciência desse fato; quer, portanto, como os outros teóricos, apenas produzir uma consciência correta de um fato *existente*, enquanto ao verdadeiro comunista importa derrubar o existente. De resto, reconhecemos perfeitamente que Feuerbach, ao se esforçar para produzir a consciência exatamente *desse* fato, vai tão longe quanto um teórico em geral pode ir sem deixar de ser teórico e filósofo. É característico, no entanto, que São Bruno e São Max coloquem imediatamente a representação de comunista de Feuerbach no lugar do verdadeiro comunista, o que, em parte, acontece para que eles possam manter também o comunismo como "espírito do espírito", como categoria filosófica, como um adversário da mesma condição deles – e da parte de São Bruno por interesses pragmáticos também. Como exemplo do reconhecimento e ao mesmo tempo do desentendimento sobre o existente que Feuerbach ainda compartilha com nossos adversários, lembremos a passagem de sua *Filosofia do futuro*, onde ele elabora a ideia de que o ser de uma coisa ou de um homem é também sua essência, que as condições de existência determinadas, o modo de vida e a atividade de um indivíduo animal ou humano são aqueles em que sua "essência" se sente satisfeita. Aqui, toda exceção é expressamente considerada um acaso infeliz, uma anormalidade que não pode ser mudada. Desse modo, se milhões de proletários não se sentirem satisfeitos em suas condições de vida, se seu "ser" [...] (No manuscrito, há uma lacuna neste ponto).

[...] Na realidade e para o materialista prático, isto é, para o comunista, trata-se de revolucionar o mundo existente, atacar e transformar praticamente as coisas encontradas. E se às vezes encontramos tais visões em Feuerbach, elas nunca passam de intuições isoladas e têm muito pouca influência em sua concepção geral para que possam ser consideradas aqui algo mais do que embriões capazes de desenvolvimento. A "concepção" de mundo sensível de Feuerbach restringe-se, por um lado, à mera contemplação dele e, por outro lado, ao mero sentimento; ele diz "*o homem*" em vez de os "homens históricos reais". "*O homem*" é, na realidade, "o alemão". No primeiro caso, na *contemplação* do mundo sensível, ele necessariamente esbarra em coisas que contradizem sua consciência e seu sentimento, que perturbam a harmonia por ele pressuposta de todas as partes do mundo sensível e, particularmente, do homem com a natureza[15]. Para eliminá-las, ele tem de se refugiar em uma contemplação dupla, oscilando entre uma contemplação profana que enxerga apenas o "óbvio" e uma filosófica, superior que vê a "verdadeira essência" das coisas. Ele não vê como o mundo sensível ao seu redor não é uma coisa dada diretamente desde toda a eternidade, sempre igual a si mesma, mas o produto da indústria e do estado de coisas da sociedade, mais precisamente no sentido de que é um produto histórico, o resultado da atividade de toda uma série de gerações, cada uma das quais se ergueu sobre os ombros da anterior, desenvolveu ainda mais sua indústria e seu intercurso e modificou sua ordem social de acordo com as necessidades alteradas. Mesmo os objetos da mais simples "certeza sensível" só são dados a Feuerbach por meio do desenvolvimento social, da indústria e do intercurso comercial. Como é sabido, a cerejeira, como quase todas as árvores frutíferas, foi transplantada para a nossa região há apenas alguns séculos pelo *comércio* e, portanto, foi dada à "certeza sensível" de Feuerbach apenas *por* essa ação de uma determinada sociedade em um determinado momento.

De resto, nessa concepção das coisas tais como realmente são e aconteceram, todo problema filosófico profundo se dissolve facilmente, como será mostrado a seguir, em um fato empírico. Por exemplo, a importante questão sobre a relação do homem com a natureza (ou até mesmo, como Bruno diz, na p. 110, "as oposições na natureza e na história", como se isso fossem duas "coisas" separadas, e o homem não tivesse sempre diante de si uma natureza histórica e uma história natural), da qual nasceram todas as "obras insondavelmente elevadas" sobre "substância" e "autoconsciência", decompõe-se por si só na compreensão de que a tão célebre "unidade do homem com a natureza" sempre existiu na indústria e existiu em todas as épocas, de maneiras diferentes, segundo o maior ou menor desenvolvimento da indústria, exatamente como a "luta" do homem com a natureza, indo até o desenvolvimento de suas forças produtivas em uma base correspondente. A indústria e o comércio, a produção e a troca de necessidades vitais, condicionam, por sua vez, a distribuição, a estrutura de diferentes classes sociais e são, por seu turno, condicionados por elas em seu modo de funcionamento. E assim acontece que Feuerbach veja, em Manchester, por exemplo, apenas fábricas e máquinas, onde cem anos atrás se viam apenas rodas de fiar e teares, ou descubra apenas pastagens e pântanos na Campagnano di Roma, onde ele teria encontrado, na época de Augusto, nada mais do que as vinhas e vilas de capitalistas romanos. Feuerbach fala, em especial, da concepção da ciência natural; menciona segredos que se desvelam apenas aos olhos do físico e químico; mas onde estaria a ciência da natureza sem a indústria e o comércio? Até mesmo essa ciência natural "pura" obtém seu propósito, assim como seu material, somente por meio do comércio e da indústria, pela atividade sensível dos homens. Essa atividade, esses incessantes trabalho e criação sensíveis, essa produção são de tal modo a base de todo o mundo sensível como este agora existe que, se fossem interrompidos por um ano apenas, Feuerbach não só encontraria uma imensa mudança no mundo natural, como também logo sentiria falta de todo o mundo humano e de sua própria faculdade perceptiva, de fato, de sua própria existência. É claro, em tudo isso a prioridade da natureza externa subsiste; nada disso, por certo, aplica-se aos homens originais produzidos por *generatio aequivoca* (geração espontânea); mas essa distinção só faz sentido na medida em que o homem é considerado diferente da natureza. Ademais, essa natureza que precede a história humana não é a natureza em que Feuerbach vive, é uma natureza que hoje em dia não existe mais em parte alguma, a não ser, talvez, em algumas ilhas de corais australianas de origem recente, e, portanto, não existe também para Feuerbach.

Sem dúvida, Feuerbach tem sobre os materialistas "puros" a grande vantagem de perceber como o homem também é um "objeto sensível"; mas tirante o fato de que ele o concebe apenas como um "objeto sensível", não como "atividade sensível", porque também aqui ele se mantém no campo da teoria e não concebe os homens em seu contexto social dado, em suas condições de vida existentes, que os tornaram o que são; ele nunca chega aos homens realmente existentes, ativos, mas permanece na abstração "o homem" e não vai além de reconhecer sentimentalmente o "homem individual real, corpóreo"; isto é, ele não conhece outras "relações humanas" do "homem para o homem", senão amor e amizade, e ainda assim idealizados. Não faz críticas às condições atuais de vida. Assim, ele nunca chega a conceber o mundo sensível como a totalidade da *atividade* sensível viva dos indivíduos que o compõem e, portanto, quando vê, em vez de pessoas saudáveis, uma massa de esfomeados escrofulosos, extenuados e tísicos, é obrigado a buscar refúgio na "visão superior" e na ideal "compensação no gênero" e a recair, portanto, no idealismo precisamente no ponto onde o comunista vê a necessidade e, ao mesmo tempo, a condição de uma transformação tanto da indústria como da estrutura social.

Na medida em que Feuerbach é materialista, ele não lida com a história; e, na medida em que leva a história em consideração, ele não é materialista. Nele, materialismo e história são completamente separados, o que, ademais, já é explicado pelo que foi dito[16].

A história nada mais é do que a sucessão das gerações distintas, cada uma das quais explora os materiais, os capitais, as forças produtivas transmitidos a ela por todas as gerações anteriores e, assim, por um lado, continua a atividade tradicional em circunstâncias bastante modificadas e, por outro, com uma atividade completamente diferente, modifica as velhas circunstâncias. Isso pode ser especulativamente distorcido, convertendo a história posterior no objetivo da anterior; por exemplo, atribui-se à descoberta da América o objetivo de facilitar a irrupção da revolução francesa, de modo que, então, a história recebe suas finalidades distintas e se torna "pessoa ao lado de outras pessoas" (a saber: autoconsciência, crítica, Único etc.), enquanto o que se designa com as palavras "determinação", "fim", "germe", "ideia" da história anterior nada mais é do que uma abstração da história posterior, uma abstração da influência ativa que a história anterior exerce sobre a posterior.

Quanto mais as esferas singulares, que atuam umas sobre as outras, se expandem no decorrer desse desenvolvimento, e quanto mais o isolamento original das nacionalidades singulares é destruído pelo modo de produção aperfeiçoado, pelo intercurso e, portanto, pela divisão do trabalho que isso faz surgir naturalmente entre as diferentes nações, mais a história se torna a história do mundo, de modo que, por exemplo, quando na Inglaterra é inventada uma máquina que tira o pão de incontáveis trabalhadores na Índia e na China e subverte toda a forma de existência desses impérios, essa invenção torna-se um fato histórico-mundial; ou vejamos o caso do açúcar e do café, que demonstraram sua importância histórico-mundial no século XIX pelo fato de que a escassez desses produtos, provocada pelo sistema continental napoleônico, levou os alemães a se rebelarem contra Napoleão e se tornou, assim, a base real das gloriosas guerras de libertação de 1813. Segue-se daí que essa transformação da história em história mundial não é um mero ato abstrato da "autoconsciência", do espírito do mundo ou de algum outro fantasma metafísico, mas um fato completamente material, empiricamente demonstrável, um fato do qual cada indivíduo é uma prova, ao ir e vir, comer, beber e vestir-se.

As ideias da classe dominante são, em todas as épocas, as ideias dominantes; isto é, a classe que é a força *material* dominante da sociedade é, ao mesmo tempo, sua força intelectual dominante. A classe que tem à sua disposição os meios de produção material dispõe, ao mesmo tempo, dos meios de produção intelectual, de modo que, geralmente, os pensamentos daqueles a quem faltam os meios de produção intelectual são, ao mesmo tempo, submetidos a essa classe. As ideias dominantes nada mais são do que a expressão ideal das relações materiais dominantes, as relações materiais dominantes apreendidas como ideias; portanto, são expressão das relações que precisamente tornam uma classe dominante; ou seja, são as ideias de sua dominação. Os indivíduos que compõem a classe dominante também têm, entre outras coisas, consciência e, portanto, pensam; na medida em que dominam como uma classe e determinam toda a amplitude de uma época histórica, é óbvio que eles fazem isso em toda a sua extensão e, portanto, entre outras coisas, também dominam como pensadores, como produtores de ideias, regulam a produção e distribuição dos pensamentos de seu tempo; é igualmente óbvio, portanto, que suas ideias são as ideias dominantes da época. Por exemplo, em uma época e em um país em que o poder real, a aristocracia e a burguesia lutam pelo domínio, em que, portanto, o domínio está dividido, o pensamento dominante é a doutrina da divisão de poderes, que agora é enunciada como uma "lei eterna".

A divisão do trabalho, que já vimos acima como uma das principais forças da história até aqui, agora se expressa também na classe dominante como a divisão entre trabalho intelectual e material, de modo que, no interior dessa classe, uma parte aparece como os pensadores dessa classe (seus ideólogos ativos, criadores de conceitos, que fazem do aperfeiçoamento da ilusão dessa classe sobre si mesma seu principal meio de sustento), enquanto os outros se comportam de modo mais passivo e receptivo perante essas ideias e ilusões, porque na realidade são os membros ativos dessa classe e têm menos tempo para formar ilusões e pensamentos sobre si mesmos. No interior dessa classe, essa cisão pode até mesmo evoluir para uma certa oposição e uma certa hostilidade entre ambas as partes, que, no entanto, diante de qualquer colisão prática que põe a própria classe em perigo, desaparecem por si só, como também se esvai a aparência de que as ideias dominantes não seriam as ideias da classe dominante e teriam um poder diferente do poder dessa classe. A existência de ideias revolucionárias em uma época determinada pressupõe já a existência de uma classe revolucionária, sobre cujos pressupostos já dissemos o suficiente acima.

Se na concepção do curso da história dissociamos as ideias da classe dominante dessa própria classe dominante e as tornamos autônomas, e se persistimos em dizer que essas e aquelas ideias dominaram em uma época sem nos preocuparmos com as condições de produção e com os produtores dessas ideias, se deixarmos de lado, portanto, os indivíduos e as circunstâncias mundiais subjacentes a essas ideias, então podemos afirmar, por exemplo, que, durante o período em que a aristocracia dominava, os termos honra, lealdade etc. dominavam, e durante o domínio da burguesia dominavam os conceitos de liberdade, igualdade etc.[17]. A própria classe dominante, em geral, imagina isso. Essa concepção de história, comum a todos os historiadores, especialmente desde o século XVIII, esbarrará necessariamente no fenômeno de que as ideias dominantes são cada vez mais abstratas, isto é, ideias que assumem cada vez mais a forma da universalidade. Pois cada nova classe que toma o lugar de uma que dominava antes dela vê-se obrigada, até mesmo para cumprir seu propósito, a representar seu interesse como o interesse comum de todos os membros da sociedade; isto é, exprimindo as coisas em um plano da ideias: ela se vê compelida a dar a suas ideias a forma da universalidade, representá-las como as únicas racionais, universalmente válidas. Do mero fato de que se contrapõe a uma *classe*, a classe revolucionária, desde o início, não se apresenta como classe, mas como representante de toda a sociedade; ela aparece como a massa total da sociedade em face da única classe dominante[18]. Pode fazê-lo porque, no começo, seu interesse realmente ainda está mais conectado ao interesse comum de todas as outras classes não dominantes e porque, sob a pressão das condições existentes até então, ainda não pôde se desenvolver como interesse particular de uma classe particular. Sua vitória, portanto, também beneficia muitos indivíduos das classes restantes, que não chegaram à posição de domínio, mas apenas na medida em que agora põe esses indivíduos em condição de ascender à classe dominante. Quando a burguesia francesa derrubou o domínio da aristocracia, ela tornou possível a muitos proletários elevar-se acima do proletariado, mas apenas na medida em que se tornaram burgueses. Portanto, cada nova classe estabelece seu domínio apenas sobre uma base mais ampla do que a base da classe até então dominante, ao passo que, mais tarde, a oposição entre a classe não dominante e a agora dominante também se desenvolve de maneira mais aguda e profunda. Esses dois pontos condicionam o fato de que a luta a ser travada contra essa nova classe dominante almeja, por sua vez, negar as condições sociais prévias de maneira mais resoluta, mais radical do que fora possível a todas as classes anteriores que aspiraram à dominação.

Toda essa aparência de que o domínio de uma determinada classe é apenas o domínio de certas ideias, cessa por si só, é claro, tão logo o domínio de classes em geral deixe de ser a forma da organização social, portanto, tão logo não seja mais necessário representar um interesse particular como interesse geral, ou "o geral" como dominante.

Uma vez que as ideias dominantes foram separadas dos indivíduos dominantes e, acima de tudo, das condições que surgem de um dado estágio do modo de produção, gerando, como resultado, o fato de que são sempre as ideias que dominam na história, então é muito fácil abstrair dessas diferentes ideias "*a* ideia", a noção etc. como a coisa dominante na história, e assim compreender todas essas ideias e conceitos individuais como "autodeterminações" *do* conceito que se desenvolve na história. É, então, também natural que todas as relações do homem possam ser deduzidas do conceito de homem, do homem imaginado, da essência do homem, *do* homem. Isso foi feito pela filosofia especulativa. O próprio Hegel admite no final da *Filosofia da história* que "considerou apenas o progresso *do conceito*" e representou na história a "verdadeira teodiceia" (p. 446). Agora é possível retornar aos produtores "do conceito", aos teóricos, ideólogos e filósofos e, em seguida, chegar à conclusão de que os filósofos, os pensadores como tais dominaram desde sempre na história – uma conclusão que, como vemos, já foi enunciada por Hegel. Todo o artifício de provar na história a supremacia do espírito (hierarquia em Stirner) limita-se aos três esforços seguintes.

1) As ideias daqueles que dominam por motivos empíricos, sob condições empíricas e como indivíduos materiais, devem ser separadas desses próprios homens dominantes, reconhecendo-se, por consequência, que são as ideias ou ilusões que dominam na história.

2) É preciso trazer ordem para esse domínio das ideias, estabelecer uma conexão mística entre sucessivas ideias dominantes, o que se consegue compreendendo-as como "autodeterminações do conceito" (isso é possível porque essas ideias, em virtude de sua base empírica, realmen-

te estão interconectadas e porque, concebidas como *meras* ideias, tornam-se autodistinções, distinções feitas pelo pensamento).

3) Para eliminar a aparência mística desse "conceito autodeterminante", ele é transformado em uma pessoa – "a autoconsciência" – ou, para parecer bastante materialista, em uma série de pessoas que representam "o conceito" na história, em "os pensadores", "os filósofos", "os ideólogos", que agora são novamente concebidos como os fabricantes da história, como "o conselho de guardiões", como os dominantes[19]. Com isso, todos os elementos materialistas da história foram removidos e pode-se tranquilamente soltar as rédeas do cavalo especulativo.

Enquanto na vida cotidiana todo *shopkeeper* (lojista) sabe distinguir entre o que alguém finge ser e o que ele realmente é, nossa historiografia ainda não chegou a esse conhecimento trivial. Acredita piamente em cada época, no que ela diz e imagina sobre si mesma.

Esse método histórico que dominou na Alemanha, e principalmente a razão por que dominou, devem ser explicados a partir da conexão com a ilusão dos ideólogos em geral, por exemplo, as ilusões dos juristas, dos políticos (incluindo, entre eles, os homens de Estado práticos), das reflexões e das distorções dogmáticas desses senhores, o que se explica muito facilmente por meio de sua posição prática na vida, de seus negócios e da divisão do trabalho.

B – A base real da ideologia

[1] Intercurso e força produtiva

A maior divisão do trabalho material e intelectual é a separação de cidade e campo. A oposição entre cidade e campo começa com a transição da barbárie para a civilização, do sistema tribal ao Estado, do regionalismo à nação, e atravessa toda a história da civilização até os dias de hoje (a Liga contra a lei dos cereais). – A cidade implica, ao mesmo tempo, a necessidade de administração, polícia, impostos etc., em suma, a necessidade da municipalidade e, portanto, da política em geral. Aqui se mostra, primeiramente, a divisão da população em duas grandes classes, baseada diretamente na divisão do trabalho e nos instrumentos de produção. A cidade já é o fato da concentração da população, dos instrumentos de produção, do capital, dos prazeres, das necessidades, enquanto o campo evidencia o fato oposto, o isolamento e a separação. A oposição entre cidade e campo pode existir no âmbito da propriedade privada. Ele é a expressão mais flagrante da subsunção do indivíduo à divisão do trabalho, a uma atividade determinada que lhe é imposta, uma subsunção que transforma um em animal limitado da cidade, e outro em animal limitado do campo e recria diariamente o conflito dos interesses de ambos. O trabalho é aqui novamente a coisa principal, o poder *sobre* os indivíduos, e enquanto existir esse poder, existirá também a propriedade privada. A abolição da oposição entre a cidade e o campo é uma das primeiras condições da comunidade, uma condição que depende, por sua vez, de uma massa de pressupostos materiais e que não pode ser satisfeita pela mera vontade, como qualquer um pode ver à primeira vista. (Essas condições devem ainda ser desenvolvidas.) A separação entre cidade e campo também pode ser compreendida como a separação entre capital e propriedade fundiária, como o início de uma existência e um desenvolvimento do capital independente da propriedade fundiária, como o início de uma propriedade que se baseia meramente no trabalho e na troca.

Nas cidades que, na Idade Média, não foram transmitidas já prontas pela história anterior, mas se formaram como novas a partir dos servos que tinham se tornado livres, o trabalho particular de cada um era sua única propriedade além do pequeno capital que ele trazia consigo e que consistia quase exclusivamente nas ferramentas mais necessárias. A concorrência contínua dos servos fugitivos que afluíam para a cidade, a guerra incessante do campo contra as cidades e, portanto, a necessidade de força militar urbana organizada, o vínculo da propriedade comum de um trabalho determinado, a necessidade de edifícios comuns para a venda de seus produtos em uma época em que os artesãos também eram *commerçants* (comerciantes) e a consequente exclusão dos não autorizados desses edifícios, o conflito entre os interesses dos diferentes ofícios, a necessidade de proteção do trabalho aprendido com dificuldade e a organização feudal de todo o país foram as causas da união dos trabalhadores de cada ofício em corporações. Aqui não precisamos nos aprofundar nas múltiplas modificações do sistema de corporações, introduzidas por desenvolvimentos históricos posteriores. A fuga dos servos para as cidades ocorreu ininterruptamente ao longo da Idade Média. Esses servos, perseguidos no campo por seus senhores, vinham separadamente para as cidades, onde encontravam uma comunidade organizada, contra a qual eram impotentes e na qual tinham de se submeter à posição que lhes era designada pela demanda de seu trabalho e pelo interesse de seus concorrentes urbanos organizados. Esses trabalhadores, que chegavam isoladamente, nunca puderam constituir uma força, ou porque seu trabalho era do tipo corporativo e devia ser aprendido, caso em que os mestres da corporação os submetiam e os organizavam de acordo com seu interesse, ou porque seu trabalho não tinha de ser aprendido e, portanto, não era do tipo corporativo, mas trabalho de jornaleiro, e nesse caso eles jamais criavam uma organização, mas permaneciam uma plebe desorganizada. A necessidade de trabalho de jorna nas cidades deu origem à plebe.

Essas cidades eram verdadeiras "associações", criadas pela necessidade imediata, o cuidado com a proteção da propriedade, e para multiplicar os meios de produção e os meios de defesa de cada um de seus membros. A plebe dessas cidades era despojada de todo poder, pelo fato de que consistia em indivíduos estranhos uns aos outros, que haviam chegado dispersos e se contrapunham de forma desorganizada a um poder equipado para a guerra e que os vigiavam zelosamente. Os oficiais e os aprendizes se organizavam em cada ofício da maneira que melhor correspondia aos interesses dos mestres; a relação patriarcal existente entre eles e seus mestres dava a estes um duplo poder – de um lado, por causa de sua influência direta em toda a vida dos jornaleiros e, de outro, porque, para os jornaleiros que trabalhavam com o mesmo mestre, essa relação era um verdadeiro vínculo que os mantinha coesos em face dos oficiais dos demais mestres e os separava destes. E, por fim, os oficiais eram ligados à ordem existente pelo simples interesse de se tornarem eles próprios mestres. Desse modo, enquanto a plebe pelo menos se levantava em motins contra toda a ordem municipal, que, no entanto, dada sua impotência, eram completamente ineficazes, os oficiais nunca iam além de pequenos atos de insubordinações em corporações separadas, atos que pertencem à existência do próprio sistema corporativo. As grandes revoltas da Idade Média partiram todas do campo, mas também permaneceram totalmente ineficazes devido à dispersão e à consequente rudeza dos camponeses.

Nas cidades, a divisão do trabalho ainda era (completamente natural) entre as diferentes corporações, mas não era aplicada entre os trabalhadores nas próprias corporações. Todo trabalhador tinha de ser versado em todo um ciclo de trabalho, tinha de ser capaz de fazer tudo o que pudesse ser feito com suas ferramentas; o intercurso limitado e a frágil ligação das diferentes cidades entre si, a falta de população e a limitação das necessidades não permitiam uma divisão de trabalho mais abrangente, razão pela qual todo aquele que desejasse se tornar mestre tinha de dominar seu ofício por completo. Portanto, ainda há entre os artesãos medievais um interesse em seu trabalho especializado e na proficiência neste trabalho, que podia elevar-se até a um certo senso artístico limitado. Mas é por isso também que todo artesão medieval se absorvia totalmente em seu trabalho, mantendo com ele um cálido vínculo servil e a ele se submetendo muito mais do que o trabalhador moderno, para quem é indiferente seu trabalho.

O capital nessas cidades era um capital natural, que consistia na residência, nas ferramentas do ofício e na clientela natural, hereditária, e tinha de ser transmitido de pai para filho como capital irrealizável em virtude do intercurso pouco desenvolvido e da falta de circulação. Esse capital não era, como o moderno, estimável em dinheiro, para o qual não importa se é aplicado nesta ou naquela coisa, mas um capital diretamente ligado ao trabalho determinado do possuidor, inseparável dele e, nesse sentido, um capital *estamental*.

A próxima extensão da divisão do trabalho foi a separação entre produção e comércio, a formação de uma classe especial de comerciantes, uma separação que fora transmitida (entre outras coisas, com os judeus) nas cidades tradicionais historicamente herdadas e que logo apareceu nas cidades de formação recente. Com isso nascia a possibilidade de uma conexão comercial que se estendia além da vizinhança imediata, uma possibilidade cuja execução dependida dos meios de comunicação existentes, do estado de segurança pública no campo, que era condicionado pelas relações políticas (em toda a Idade Média, como se sabe, os comerciantes viajavam em caravanas armadas), e das necessidades mais elementares ou mais desenvolvidas (condicionadas pelo respectivo grau de cultura) da região acessível ao comércio.

Com o comércio constituído em uma classe especial, com a expansão do comércio por comerciantes além dos arredores imediatos da cidade, ocorre rapidamente uma interação entre produção e comércio. Cidades se conectam *umas com as outras*, novas ferramentas são trazidas de uma cidade para outra e a divisão entre produção e comércio logo provocou uma nova divisão da produção entre as diferentes cidades, cada uma das quais explorando um ramo industrial predominante. A restrição inicial à localidade começa a ser gradualmente dissolvida.

Na Idade Média, os burgueses de todas as cidades foram obrigados a se unir contra a aristocracia rural para defenderem a própria pele; a expansão do comércio, o estabelecimento de comunicações levaram as cidades a conhecer outras cidades que tinham os mesmos interesses na luta contra a mesma oposição. A *classe* burguesa desenvolveu-se apenas muito gradualmente das muitas burguesias locais das diversas cidades. Pela oposição às relações existentes e pelo tipo de trabalho daí resultante, as condições de vida de cada burguês tornaram-se ao mesmo tempo condições que eram comuns a todos eles e independentes de cada indivíduo isolado. Os burgueses haviam criado essas condições na medida em que cortaram o vínculo com a associação feudal; e eles foram criados por elas, na medida em que eram condicionados pela sua oposição à feudalidade preexistente. Com a ligação entre as diferentes cidades, essas condições comuns se desenvolveram para se tornar condições de classe. As mesmas condições, a mesma oposição, os mesmos interesses tinham de produzir os mesmos costumes em toda parte. A própria burguesia se desenvolve apenas gradualmente com as suas condições, divide-se novamente em diferentes frações segundo a divisão do trabalho, e finalmente absorve em si todas as classes possuidoras preexistentes[20] (enquanto ela transforma a maioria das classes destituídas de posses que encontrou e uma parte das classes até aí possuidoras em uma nova classe – o proletariado), na medida em que toda propriedade encontrada é convertida em capital industrial ou comercial. Os indivíduos isolados formam uma classe apenas na medida em que têm de travar uma luta comum contra outra classe; de resto, eles são hostis uns para com os outros, na concorrência. Por outro lado, a classe, por sua vez, torna-se independente face aos indivíduos, de modo que estes encontram suas condições de vida predestinadas e recebem da classe sua posição na vida e também, com isso, seu desenvolvimento pessoal; eles são subordinados à classe. Esse é o mesmo fenômeno que a subordinação dos indivíduos singulares à divisão do trabalho, e só pode ser removido pela abolição da propriedade privada e do próprio trabalho. Já indicamos várias vezes como essa subordinação dos indivíduos à classe se torna, ao mesmo tempo, uma subordinação a todos os tipos de representações etc.

Depende unicamente da extensão do comércio se as forças produtivas adquiridas em uma localidade, especialmente as invenções, são perdidas ou não para o desenvolvimento posterior. Enquanto ainda não há um comércio que vá além da vizinhança imediata, toda invenção tem de ser feita separadamente em cada localidade, e bastam meros acasos, como irrupções de povos bárbaros, até mesmo guerras habituais, para obrigar um país, com forças produtivas e necessidades desenvolvidas, a recomeçar do zero. No início da história, toda invenção precisava ser refeita diariamente e de forma independente em todas as localidades. O caso dos fenícios demonstra como forças produtivas desenvolvidas estão pouco protegidas da destruição completa, mesmo com um comércio relativamente bastante extenso, pois suas invenções se perderam em grande parte e por um longo tempo pela exclusão dessa nação do comércio, pela conquista de Alexandre e pelo subsequente declínio. E o mesmo ocorreu na Idade Média com os vitrais, por exemplo. A duração das forças produtivas adquiridas está garantida somente quando o comércio se tornou um comércio mundial que tem por base a grande indústria, quando todas as nações são incluídas na luta concorrencial.

A divisão do trabalho entre as diferentes cidades teve como consequência imediata o surgimento de manufaturas, ramos de produção que haviam ultrapassado o sistema corporativo. O primeiro florescimento das manufaturas – na Itália e depois em Flandres – teve como pressuposto histórico o comércio com nações estrangeiras. Em outros países – Inglaterra e França, por exemplo – as manufaturas limitaram-se, inicialmente, ao mercado interno. Além dos pressupostos já indicados, as manufaturas ainda têm como pressuposto uma concentração já avançada da população – especialmente no campo – e do capital, que começava a se acumular em mãos individuais, em parte nas corporações, apesar das leis corporativas, em parte entre os comerciantes.

O trabalho que desde o início pressupunha uma máquina, ainda que em sua forma mais rudimentar, logo se mostrou o mais capaz de desenvolvimento. A tecelagem, até então praticada no campo pelos camponeses, como atividade secundária, para obterem as vestimentas necessárias, foi o primeiro trabalho a receber impulso e mais amplo desenvolvimento pela expansão do comércio. A tecelagem foi a primeira, e continuou sendo a principal manufatura. A demanda de materiais para vestuário, que crescia com o crescimento da população, o começo da acumulação e da mobilização do capital natural pela circulação acelerada, a necessidade de luxo daí resultante e favorecida, em geral, pela expansão gradual do comércio deram à tecelagem um ímpeto quantitativo e qualitativo, que a arrancou da forma de produção até então existente. Além dos camponeses que teciam para uso próprio, que continuaram e ainda continuam a existir, surgiu nas cidades uma nova classe de tecelões, cujos tecidos estavam destinados a todo o mercado interno e, no mais das vezes, também aos mercados estrangeiros.

A tecelagem, um trabalho que na maioria dos casos requer pouca habilidade e que logo se subdivide em infinitas ramificações, resistiu, por toda a sua natureza, aos grilhões da corporação. A tecelagem era também, portanto, exercida principalmente em aldeias e vilas mercantis sem organização corporativa, que gradualmente se tornaram cidades e, em pouco tempo, as cidades mais prósperas de cada país.

A manufatura livre da corporação também causou mudança imediata nas relações de propriedade. O primeiro progresso para além do capital estamental naturalmente acumulado foi dado pela aparição de mercadores, cujo capital desde o início era móvel, capital no sentido moderno, na medida em que se pode nesses termos dadas as circunstâncias daquela época. O segundo progresso veio com a manufatura, que novamente mobilizou uma massa de capital natural e, de modo geral, aumentou a massa de capital móvel em relação à do capital natural.

A manufatura também se tornou, ao mesmo tempo, um refúgio dos camponeses contra as corporações que os excluíam ou lhes pagavam mal, como anteriormente as cidades corporativas lhes serviram de refúgio (contra a nobreza rural que os oprimia).

Com o início das manufaturas houve, simultaneamente, um período de vagabundagem, causado pela cessação dos séquitos feudais, pela dispensa dos exércitos que haviam se formado e que tinham servido aos reis contra os vassalos, pela melhoria da agricultura e transformação de grandes extensões de terra arável em pastagens. Isso já mostra como a vagabundagem está estritamente relacionada à dissolução do sistema feudal. Alguns períodos desse tipo ocorrem já no século XIII, mas é somente no final do século XV e no início do XVI que essa vagabundagem se estabelece de maneira permanente e generalizada. Esses vagabundos – que eram tão numerosos, que o rei Henrique VIII da Inglaterra, entre outros, mandou enforcar 72.000 deles – foram levados a trabalhar apenas ao custo das maiores dificuldades, diante de miséria extrema e somente após longa resistência. O rápido florescimento das manufaturas, especialmente na Inglaterra, gradualmente os absorveu.

Com as manufaturas, as diversas nações entraram em relação de concorrência, na batalha comercial, que foi travada em guerras, proteções alfandegárias e proibições, enquanto anteriormente, na medida em que estavam conectadas, as nações haviam conduzido uma troca inofensiva umas com as outras. De agora em diante, o comércio tem significado político.

O advento da manufatura provocou, ao mesmo tempo, uma modificação da relação entre trabalhador e empregador. Nas corporações, continuava a existir a relação patriarcal entre oficiais e mestres; na manufatura, ela foi substituída pela relação monetária entre trabalhador e capitalista; uma relação que, no campo e nas cidades pequenas, manteve um matiz patriarcal, mas nas cidades maiores, propriamente manufatureiras, logo perdeu quase toda a coloração patriarcal.

A manufatura e, em geral, o movimento da produção receberam enorme impulso pela expansão do comércio, que ocorreu com a descoberta da América e da rota marítima para as Índias Orientais. Os produtos novos, importados de lá, particularmente as grandes quantidades de ouro e prata que entraram em circulação, alteraram por completo a posição das classes em relação umas às outras e deram um golpe duro na propriedade feudal da terra e nos trabalhadores; as expedições de aventureiros, a colonização e, sobretudo, a expansão dos mercados em um mercado mundial, que agora era possível e se efetivava cada vez mais dia após dia, originaram uma nova fase de desenvolvimento histórico, na qual, em geral, não vamos nos aprofundar aqui. Pela colonização dos países recém-descobertos, a luta comercial entre as nações recebeu novo alimento e consequentemente maior extensão e animosidade.

A expansão do comércio e da produção acelerou a acumulação de capital móvel, enquanto nas corporações, que não receberam nenhum estímulo para ampliação da produção, o capital natural permaneceu estável ou até mesmo declinou. O comércio e a manufatura criaram a grande burguesia; nas corporações se concentrava a pequena burguesia, que já não dominava como antes nas cidades, mas devia se curvar ao domínio dos grandes comerciantes e manufatureiros[21]. Daí o declínio das corporações tão logo entraram em contato com a manufatura.

As relações comerciais entre as nações assumiram duas formas diferentes durante a época de estamos falando. No começo, a pequena quantidade circulante de ouro e prata condicionou a proibição da exportação desses metais; e a indústria, importada do exterior em sua maior parte e exigida pela necessidade de ocupar a crescente população urbana, não poderia se privar dos privilégios que, naturalmente, poderiam ser concedidos não só contra a concorrência doméstica, mas principalmente contra a concorrência estrangeira. Nessas proibições primitivas, o privilégio corporativo local foi estendido a toda a nação. As tarifas alfandegárias se originaram dos tributos que os senhores feudais impunham aos comerciantes que atravessavam seu território como resgate da pilhagem; tributos que depois também foram impostos pelas cidades e, no surgimento de Estados modernos, foram os meios mais óbvios que o fisco encontrou de obter dinheiro.

O surgimento do ouro e da prata americanos nos mercados europeus, o desenvolvimento gradual da indústria, o rápido crescimento do comércio e o consequente florescimento da burguesia não corporativa e do dinheiro deram a essas medidas outro significado. O Estado, que dia a dia podia cada vez menos passar sem dinheiro, manteve, por considerações fiscais, a proibição das exportações de ouro e prata; os burgueses, para quem essas novas massas de dinheiro lançadas no mercado eram o principal objeto da compra especulativa, estavam completamente satisfeitos com isso; os privilégios existentes tornaram-se uma fonte de renda para o governo e foram vendidos por dinheiro; na legislação aduaneira apareceram os direitos de exportação, que, apenas (pondo) um empecilho no caminho da indústria, tinham uma finalidade puramente fiscal.

O segundo período começou em meados do século XVII e durou quase até o final do XVIII. O comércio e a navegação haviam se expandido mais rapidamente do que a manufatura, que desempenhava um papel secundário; as colônias começaram a se tornar consumidores fortes; as diversas nações, após longas lutas, dividiram entre si o mercado mundial que se abria. Esse período se inicia com as leis de navegação e os monopólios coloniais. A concorrência das nações entre si foi excluída tanto quanto possível por meio de tarifas, proibições, tratados; e, em última instância, a luta concorrencial foi travada e decidida por guerras (especialmente guerras marítimas). A nação mais poderosa no mar, os ingleses, manteve a preponderância no comércio e na manufatura. Já aqui vemos a concentração em um só país.

A manufatura era constantemente protegida por tarifas protecionistas no mercado interno, por monopólios no mercado colonial, e no exterior, tanto quanto possível, por tarifas diferenciais. O processamento dos materiais produzidos no próprio país era favorecido (lã e linho na Inglaterra, seda na França), a exportação da matéria-prima produzida no país era proibida (lã na Inglaterra) e o (processamento) da matéria-prima importada era negligenciada ou reprimida (algodão na Inglaterra). A nação dominante no comércio marítimo e no poderio colonial assegurava naturalmente para si a maior extensão quantitativa e qualitativa da manufatura. A manufatura não podia de modo algum se privar de proteção, pois, pela menor mudança que ocorra em outros países, pode perder seu mercado e ser arruinada; ela é facilmente introduzida em um país em condições razoavelmente favoráveis e, por essa mesma razão, é facilmente destruída. Ao mesmo tempo, pelo modo como é realizada no campo, especialmente no século XVIII, a manufatura está de tal modo ligada às condições de vida de uma grande massa de indivíduos que nenhum país pode se atrever a colocar sua existência em risco pela permissão da livre concorrência. Portanto, na medida em que consegue exportar, ela depende inteiramente da expansão ou da limitação de comércio, e exerce (sobre este) uma reação relativamente muito pequena. Daí sua (importância) secundária e a influência dos (comerciantes) no século XVIII. Foram os comerciantes, e especialmente os armadores, que, mais do que todos os outros, insistiram na proteção do Estado e nos monopólios. Os manufatureiros exigiram e, de fato, receberam proteção, mas sempre ficaram atrás dos comerciantes em importância política. As cidades comerciais, especialmente as cidades marítimas, atingiram um nível razoável de civilização e se tornaram as cidades da grande burguesia, enquanto nas cidades fabris subsistiu a maior parte da pequena burguesia. Cf. Aikin etc. O século XVIII foi o do comércio. Pinto diz isso explicitamente: *"Le commerce fait la marotte du siècle"* ("O comércio é a mania do século"); *"Depuis quelque temps il n'est plus question que de commerce, de navigation et de marine"* ("Há algum tempo só se fala de comércio, transporte e marinha")[22].

Esse período também é caracterizado pela cessação das proibições de exportação de ouro e de prata, pelo surgimento do comércio de dinheiro, dos bancos, das dívidas do Estado, do papel-moeda, da especulação sobre fundos e ações, da agiotagem em todos os artigos e da formação do sistema monetário em geral. O capital perdeu novamente grande parte do caráter natural que ainda estava colado a ele.

A concentração do comércio e da manufatura em um país, a Inglaterra, concentração que se desenvolveu incessante no século XVII, criou gradualmente para esse país um mercado mundial relativo e, com isso, uma demanda por seus produtos manufaturados, a qual já não podia ser satisfeita pelas forças produtivas industriais existentes. Essa demanda, que crescera para além das forças produtivas, foi a força motriz que causou o terceiro período da propriedade privada desde a Idade Média, ao criar a grande indústria – a aplicação de forças elementares para fins industriais, a maquinaria e a mais extensa divisão do trabalho. As restantes condições dessa nova fase – a liberdade de concorrência no interior da nação, o desenvolvimento da mecânica teórica (a mecânica aperfeiçoada por Newton foi, de modo geral, a ciência mais popular na França e na Inglaterra no século XVIII) etc. – já existiam na Inglaterra. (Em toda parte, a livre-concorrência na própria nação teve de ser conquistada por uma revolução – 1640 e 1688 na Inglaterra, 1789 na França.) A concorrência, em breve, obrigou todo país que desejava manter seu papel histórico a proteger suas manufaturas mediante novas medidas alfandegárias (as antigas tarifas não ajudavam mais contra a grande indústria) e logo depois a introduzir a grande indústria acompanhada de tarifas protecionistas. Apesar desses meios protecionistas, a grande indústria universalizou a concorrência (que é a liberdade comercial prática, a tarifa protecionista é nela apenas um paliativo, uma arma de defesa *na* liberdade de comércio), estabeleceu os meios de comunicação e o mercado mundial moderno, submeteu a si o comércio, transformou todo o capital em capital industrial, gerando assim a rápida circulação (o desenvolvimento do sistema monetário) e a centralização dos capitais. Pela concorrência universal, ela forçou todos os indivíduos à máxima tensão de suas energias. Ela destruiu tanto quanto possível a ideologia, a religião, a moralidade etc., e onde não conseguiu fazê-lo, transformou-as em flagrante mentira. Foi ela que produziu história mundial pela primeira vez, ao fazer que toda nação civilizada e todo indivíduo dentro dela se tornassem dependentes do mundo inteiro para satisfazer suas necessidades, e ao destruir a exclusividade das nações isoladas, que até então era natural. Subordinou a ciência natural ao capital e tirou da divisão do trabalho a última aparência de naturalidade. De modo geral, destruiu a naturalidade, na medida em que isso é possível dentro do trabalho, e dissolveu todas as relações naturais em relações monetárias. No lugar das cidades naturais, criou as grandes cidades industriais modernas, que emergiram da noite para o dia. Onde penetrou, destruiu o artesanato e, de modo geral, todos os estágios anteriores da indústria. Ela completou a vitória da cidade comercial sobre o campo. (Seu primeiro pressuposto) é o sistema automático. (O seu desenvolvimento) gerou uma massa de forças produtivas, para as quais a (propriedade) privada tornou-se um obstáculo tanto quanto a corporação o foi para a manufatura, e o pequeno empreendimento o foi para o artesanato que se desenvolvia. Sob a propriedade privada, essas forças produtivas recebem apenas um desenvolvimento unilateral, tornam-se forças destrutivas para a maioria, e muitas dessas forças não podem sequer ser usadas na propriedade privada. Em geral, a grande indústria produziu as mesmas relações entre as classes da sociedade em todos os lugares, destruindo assim a peculiaridade das diversas nacionalidades. E, finalmente, enquanto a burguesia de cada nação ainda mantém interesses nacionais distintos, a grande indústria criou uma classe que tem o mesmo interesse em todas as nações e na qual a nacionalidade já está abolida, uma classe que está realmente livre de todo o mundo antigo e, ao mesmo tempo, se contrapõe a ele. A grande indústria torna insuportável para o trabalhador não só a relação com o capitalista, mas também o próprio trabalho.

É evidente que a grande indústria não chega ao mesmo nível de desenvolvimento em todas as localidades de um país. Isso, no entanto, não impede o movimento de classe do proletariado, porque os proletários criados pela grande indústria tomam a dianteira desse movimento e carregam consigo toda a massa, e porque os trabalhadores excluídos da grande indústria são lançados por esta última numa situação ainda pior do que os trabalhadores da própria grande indústria. Da mesma forma, os países em que a grande indústria se encontra desenvolvida atuam sobre os países mais ou menos não industriais, na medida em que estes são arrastados para a luta da concorrência universal pelo comércio mundial[23].

Essas diferentes formas são outras tantas formas de organização do trabalho e, portanto, de propriedade. Em cada período, ocorreu uma união das forças produtivas existentes, na medida em que era requerida pelas necessidades.

[2] Relação do Estado e do direito com a propriedade

A primeira forma de propriedade, tanto no mundo antigo como na Idade Média, é a propriedade tribal, condicionada entre os romanos principalmente pela guerra e pela criação de gado entre os germanos. Nos povos antigos, em que várias tribos vivem juntas em uma cidade, a propriedade tribal aparece como propriedade do Estado e o direito dos indivíduos a ela aparece como mera possessão, que, no entanto, tal como a propriedade tribal em geral, se limita apenas à propriedade fundiária. A propriedade privada propriamente dita, entre os antigos como com os povos modernos, começa com a propriedade mobiliária – (escravidão e comunidade) (*dominium ex jure Quiritum* – propriedade de um antigo cidadão romano). Entre os povos que provêm da Idade Média, a propriedade tribal desenvolveu-se por vários estágios – propriedade feudal da terra, propriedade mobiliária corporativa, capital de manufatura – até alcançar o capital moderno condicionado pela grande indústria e pela concorrência universal, a propriedade privada pura, que se desfez de toda aparência de comunidade e excluiu toda influência do Estado sobre o desenvolvimento da propriedade. A essa propriedade privada moderna corresponde o Estado moderno, que, comprado gradualmente pelos proprietários privados mediante impostos, caiu completamente nas mãos deles pelas dívidas públicas, e cuja existência, na alta e na baixa dos papéis do Estado na bolsa, tornou-se inteiramente dependente do crédito comercial que os proprietários privados, os burgueses, lhe concedem. A burguesia, por ser uma *classe*, não mais um *estamento*, é compelida a se organizar nacionalmente, não mais localmente, e a dar uma forma geral a seu interesse médio. Pela emancipação da propriedade privada em relação à comunidade, o Estado tornou-se uma existência especial ao lado da sociedade civil e fora dela; mas ele nada mais é do que a forma de organização que a burguesia necessariamente adota, externa e internamente, para a garantia mútua de sua propriedade e seus interesses. Hoje em dia, a autonomia do Estado só é encontrada naqueles países onde os estamentos não se desenvolveram completamente em classes, onde os estamentos, eliminados nos países avançados, ainda desempenham um papel e onde existe uma mistura; países nos quais, portanto, nenhuma parte da população pode vir a dominar as demais. Este é o caso especialmente na Alemanha.

O exemplo mais perfeito do Estado moderno é a América do Norte. Todos os escritores franceses, ingleses e americanos modernos declaram que o Estado existe apenas por causa da propriedade privada, de modo que isso também penetrou na consciência comum.

Como o Estado é a forma na qual os indivíduos de uma classe dominante fazem valer seus interesses comuns e na qual se resume toda a sociedade civil de uma época, segue-se que todas as instituições comuns são mediadas pelo Estado e recebem uma forma política. Daí a ilusão de que a lei é baseada na vontade, mais precisamente na vontade *livre*, despojada de sua base real. De igual modo, o direito é, por sua vez, reduzido à lei.

O direito privado se desenvolve, ao mesmo tempo que a propriedade privada, da dissolução da comunidade natural. Entre os romanos, o desenvolvimento da propriedade privada e do direito privado não gerou consequências industriais e comerciais, porque todo o seu modo de produção permaneceu o mesmo[24]. Entre os povos modernos, onde a comunidade feudal foi desintegrada pela indústria e pelo comércio, o surgimento da propriedade privada e do direito privado iniciou uma nova fase, capaz de continuar a se desenvolver. A primeira cidade que realizou um vasto comércio marítimo na Idade Média, Amalfi, também elaborou o direito marítimo. Assim que a indústria e o comércio desenvolveram a propriedade privada, primeiramente na Itália e mais tarde em outros países, o já desenvolvido direito privado romano foi imediatamente retomado e elevado à posição de autoridade. Quando a burguesia mais tarde havia adquirido tanto poder que os príncipes assumiram seus interesses para derrubar a nobreza feudal por intermédio da burguesia, iniciou-se em todos os países – na França no século XVI – o desenvolvimento propriamente dito do direito que, em todos os países, exceto a Inglaterra, baseava-se no Código Romano. Na Inglaterra também, os princípios do direito romano tiveram de ser introduzidos para que se continuasse o desenvolvimento do direito privado (especialmente no caso da propriedade mobiliária). (Não nos esqueçamos de que o direito, assim como a religião, não tem uma história própria.)

No direito privado, as relações de propriedade existentes são expressas como resultado da vontade geral. O próprio *jus utendi et abutendi* (o direito de uso e consumo – também: abuso) exprime, por um lado, o fato de que a propriedade privada tornou-se totalmente independente da comunidade e, por outro, a ilusão de que a propriedade privada repousa, ela própria, na mera vontade privada, no dispor-se livremente das coisas. Na prática, o *abuti* (consumo – também: abuso) tem limitações econômicas bem definidas para o proprietário privado, se ele não quiser ver sua propriedade e, com ela seu *jus abutendi*, passar para outras mãos, pois, de modo geral, a coisa, considerada meramente na relação com sua vontade, não é absolutamente uma coisa, mas torna-se uma coisa, propriedade real, apenas no intercurso e independentemente do direito (uma *relação*, o que os filósofos chamam de uma ideia)[25].

Essa ilusão jurídica, que reduz o direito à mera vontade, conduz necessariamente, na continuação do desenvolvimento das relações de propriedade, ao fato de alguém poder ter um título jurídico a uma coisa sem realmente ter a coisa. Se, por exemplo, a renda de um terreno é eliminada pela concorrência, seu proprietário tem, sem dúvida, seu título jurídico, juntamente com o *jus utendi et abutendi*. Mas isso de nada lhe adianta, ele não possui nada como proprietário fundiário, caso não tenha também capital suficiente para cultivar sua terra. A mesma ilusão dos juristas explica o fato de que, para eles e para todo código em geral, é totalmente acidental que os indivíduos estabeleçam relações uns com os outros, contratos, por exemplo; e que para eles essas relações são aquelas que (podem) ser estabelecidas ou não conforme se queira, e cujo conteúdo repousa inteiramente na vontade livre individual dos contratantes.

Sempre que o desenvolvimento da indústria e do comércio criou novas formas de intercurso, por exemplo, companhias de seguros etc., o direito foi obrigado a incluí-las entre os modos de aquisição da propriedade.

Não há nada mais comum do que a ideia de que na história até agora foi tudo uma questão de *tomar*. Os bárbaros tomam o império romano; e, com o fato desse ato de tomar, explica-se a transição do mundo antigo para o feudalismo. Mas nessa tomada pelos bárbaros, importa saber se a nação que é conquistada desenvolveu forças produtivas industriais, como é o caso dos povos modernos, ou se suas forças produtivas são baseadas principalmente apenas em sua união e na comunidade. A tomada é ainda condicionada pelo objeto que é tomado. A riqueza de um banqueiro, consistente em papéis, não pode ser tomada sem que o tomador aceite as condições de produção e intercurso do país tomado. O mesmo se aplica a todo o capital industrial de um país industrial moderno. E, finalmente, em toda a parte o tomar em breve chega ao fim, e, quando não há mais nada a tomar, é necessário começar a produzir. Dessa necessidade de produzir, que ocorre muito cedo, decorre que a forma de comunidade adotada pelos conquistadores que se instalam deve corresponder ao estágio de desenvolvimento das forças produtivas encontradas, ou, quando não é esse o caso desde o início, a forma de comunidade deve se modificar de acordo com as forças produtivas. Isso também explica o fato que teria sido observado em toda a parte na época após a migração dos povos, a saber, que o servo era o mestre, e os conquistadores logo adotaram a língua, a cultura e os costumes dos conquistados.

A feudalidade não foi de modo nenhum trazida pronta da Alemanha, mas teve sua origem, do lado dos conquistadores, na organização bélica do exército durante a própria conquista, e essa organização se desenvolveu após a conquista pela influência das forças produtivas encontradas nos países conquistados, para só então se tornar a feudalidade propriamente dita. As tentativas fracassadas de impor outras formas derivadas de reminiscências da antiga Roma (Carlos Magno etc.) mostram até que ponto essa forma feudal foi condicionada pelas forças produtivas.

[3] Instrumentos de produção e formas de propriedade naturais e civilizadas

[...] (Aqui faltam quatro páginas no manuscrito) é encontrado. Do primeiro ponto decorre o pressuposto de uma divisão do trabalho aperfeiçoada e de um comércio estendido; do segundo resulta a localidade. No primeiro caso, os indivíduos devem ser reunidos; no segundo, eles se encontram ao lado do próprio instrumento de produção dado, como instrumentos de produção. É aqui que surge, portanto, a diferença entre os instrumentos de produção naturais e aqueles criados pela civilização. O campo cultivado (a água etc.) pode ser considerado um instrumento de produção natural. No primeiro caso, no instrumento de produção natural, os indivíduos são subordinados à natureza; no segundo caso, se subordinam a um produto do trabalho. Portanto, no primeiro caso, a propriedade (propriedade fundiária) aparece também como dominação imediata e natural; no segundo, ela aparece como dominação do trabalho, especialmente do trabalho acumulado, do capital. O primeiro caso pressupõe que os indivíduos são unidos por um vínculo qualquer, seja família, tribo, o próprio solo etc. O segundo caso pressupõe que eles são independentes uns dos outros e são mantidos juntos somente pela troca. No primeiro caso, a troca é principalmente uma troca entre homens e natureza, uma troca na qual o trabalho de um é trocado pelos produtos do outro; no segundo caso, ela é predominantemente a troca dos homens entre si. No primeiro caso, a inteligência média é suficiente, as atividades física e intelectual ainda não estão separadas; no segundo caso, a divisão entre trabalho intelectual e trabalho físico deve estar praticamente concluída. No primeiro caso, o domínio do proprietário sobre os não proprietários pode se basear em relações pessoais, em um tipo de comunidade; no segundo caso, ele deve ter assumido forma material em um terceiro termo, o dinheiro. No primeiro caso, a pequena indústria existe, mas é subordinada ao uso do instrumento de produção natural e, portanto, sem distribuição do trabalho para diferentes indivíduos; no segundo caso, a indústria existe apenas na e pela divisão do trabalho.

Até agora, partimos dos instrumentos de produção, e já aqui se revelou a necessidade da propriedade privada para certos estágios industriais. Na indústria extrativa, a propriedade privada ainda coincide totalmente com o trabalho; na pequena indústria e em toda a agricultura até agora, a propriedade é a consequência necessária dos instrumentos de produção existentes; na grande indústria, pela primeira vez a contradição entre o instrumento de produção e a propriedade privada é seu produto, e ela já deve estar muito desenvolvida para engendrá-lo.

Portanto, a abolição da propriedade privada só é possível com a grande indústria.

Na grande indústria e na concorrência, todas as condições de existência, as determinações e limitações dos indivíduos se fundem nas duas formas mais simples: propriedade privada e trabalho. Com o dinheiro, toda forma de intercurso, e o próprio intercurso, são postos para os indivíduos como acidentais. Portanto, o dinheiro já implica que todo o intercurso prévio era apenas intercurso dos indivíduos sob certas condições, não de indivíduos como indivíduos. Essas condições são reduzidas a duas – trabalho acumulado ou propriedade privada, e trabalho real. Desaparecendo uma delas, ou ambas, o intercurso é interrompido. Os próprios economistas modernos (p. ex.: Sismondi, Cherbuliez etc.) opõem a associação dos indivíduos à associação do capital. Por sua vez, os próprios indivíduos estão totalmente subordinados à divisão do trabalho e, assim, são lançados na mais completa dependência uns dos outros. A propriedade privada, na medida em que, dentro do trabalho, se contrapõe ao trabalho, desenvolve-se a partir da necessidade de acumulação e ainda conserva bastante, no começo, a forma da comunidade, mas, em seu posterior desenvolvimento, aproxima-se cada vez mais da forma moderna de propriedade privada. A divisão do trabalho implica, já desde o início, a divisão também das condições de trabalho, das ferramentas e dos materiais, e, com ela, a fragmentação do capital acumulado para diferentes proprietários, e, com esta, a fragmentação entre capital e trabalho, e as diversas formas de propriedade. Quanto mais a divisão do trabalho se aperfeiçoa, quanto mais cresce a acumulação, mais aguçadamente essa fragmentação se desenvolve. O próprio trabalho só pode existir sob a condição dessa fragmentação.

Portanto, dois fatos são revelados aqui[26]. Primeiro, as forças produtivas aparecem como completamente independentes e separadas dos indivíduos, como um mundo próprio ao lado dos indivíduos, o que tem sua razão de ser no fato de que os indivíduos, dos quais elas são as forças, existem dispersos e em oposição uns aos outros, enquanto essas forças, por sua vez, só são forças reais no intercurso e na associação desses indivíduos. De um lado, portanto, há uma totalidade de forças produtivas que assumiram, por assim dizer, uma forma objetiva e que, para os indivíduos mesmos, não são mais as forças dos indivíduos, mas da propriedade privada e, portanto, são as forças dos indivíduos apenas na medida em que eles são proprietários privados. Em nenhum período anterior, as forças produtivas assumiram essa forma indiferente para o intercurso dos indivíduos *como* indivíduos, porque seu próprio intercurso era ainda limitado. De outro lado, a essas forças produtivas se contrapõe a maioria dos indivíduos, dos quais essas forças são arrancadas e que, privados de todo o conteúdo de vida real, tornaram-se indivíduos abstratos, mas que, apenas por esse fato, são colocados em condição de entrar em conexão uns com os outros como *indivíduos*.

O trabalho, único vínculo que ainda os liga com as forças produtivas e com sua própria existência, perdeu para eles toda aparência de autoatividade e só mantém sua vida definhando-a. Enquanto nos períodos anteriores a autoatividade e a produção da vida material eram separadas pelo fato de que elas recaíam sobre diferentes pessoas e a produção da vida material, por causa da limitação dos próprios indivíduos, ainda era considerada um tipo inferior de autoatividade, elas agora estão tão separadas que, em geral, a vida material aparece como fim, e a produção dessa vida material, o trabalho (que é agora a única forma possível, mas, como veremos, negativa, de autoatividade), aparece como meio.

Portanto, chegamos agora ao ponto em que os indivíduos devem se apropriar da totalidade existente de forças produtivas, não apenas para alcançar sua autoatividade, mas para meramente assegurar sua existência. Essa apropriação é primeiramente condicionada pelo objeto a ser apropriado – as forças produtivas, que se desenvolveram até formar uma totalidade e só existem dentro de um intercurso universal. Desse ponto de vista, essa apropriação já deve ter, portanto, um caráter universal correspondente às forças produtivas e ao intercurso. A apropriação dessas forças não é, ela mesma, nada mais do que o desenvolvimento das capacidades individuais correspondentes aos instrumentos de produção materiais. A apropriação de uma totalidade de instrumentos de produção é, já por essa razão, o desenvolvimento de uma totalidade de capacidades nos próprios indivíduos. Essa apropriação também é condicionada pelos indivíduos que se apropriam. Apenas os proletários da época atual, completamente excluídos de toda autoatividade, são capazes de impor sua autoatividade plena, não mais limitada, que consiste na apropriação de uma totalidade das forças produtivas e no consequente desenvolvimento de uma totalidade de capacidades. Todas as apropriações revolucionárias anteriores foram limitadas; os indivíduos cuja autoatividade era limitada por um instrumento limitado de produção e um intercurso limitado apropriavam-se desse instrumento limitado de produção, e assim alcançavam apenas uma nova limitação. Seu instrumento de produção tornou-se sua propriedade, mas eles próprios permaneceram subordinados à divisão do trabalho e a seu próprio instrumento de produção. Em todas as apropriações até aqui, uma massa de indivíduos permaneceu subordinada a um único instrumento de produção; na apropriação pelos proletários, uma massa de instrumentos de produção deve ser subordinada a cada indivíduo, e a propriedade deve ser subordinada a todos. O intercurso universal moderno não pode ser subordinado aos indivíduos senão sendo subordinado a todos.

A apropriação é ainda condicionada pela maneira como deve ser realizada. Ela só pode ser realizada por meio de uma união que, devido ao caráter do próprio proletariado, só pode ser universal e por meio de uma revolução que, por um lado, derrube o poder do modo anterior de produção e de intercurso e a organização social e, por outro lado, desenvolva o caráter universal e a energia do proletariado necessária para levar a cabo a apropriação, e que, além disso, despoje o proletariado de tudo o que lhe restou de sua prévia posição na sociedade.

É somente nesse estágio que a autoatividade coincide com a vida material, o que corresponde ao desenvolvimento dos indivíduos em indivíduos totais e ao despojamento de toda naturalidade; e, então, a transformação do trabalho em autoatividade corresponde à transformação do intercurso anteriormente condicionado em intercurso dos indivíduos como tais. A propriedade privada cessa com a apropriação da totalidade das forças produtivas pelos indivíduos unidos. Enquanto, na história anterior, uma condição particular sempre aparecia como acidental, agora o que se tornaram acidentais são o isolamento dos próprios indivíduos, a aquisição privada particular de cada um.

Os indivíduos que não são mais subordinados à divisão do trabalho foram representados pelos filósofos como um ideal, sob o nome de "o homem"; e eles conceberam todo o processo que aqui desenvolvemos como o processo de desenvolvimento do "homem", de modo que, em cada estágio histórico até aqui, os indivíduos foram substituídos pelo "homem", que foi apresentado como a força motriz da história. Todo o processo foi assim concebido como o processo de autoalienação do "homem", e isso se deve essencialmente ao fato de que o indivíduo médio do estágio posterior sempre foi substituído pelo indivíduo da anterior, e a consciência posterior foi imputada aos indivíduos anteriores. Por essa inversão, que desde o princípio abstrai das condições reais, foi possível transformar toda a história em um processo de desenvolvimento da consciência.

Por fim, a concepção de história que delineamos produz os seguintes resultados: 1) No desenvolvimento das forças produtivas aparece um estágio em que nascem as forças produtivas e os meios de intercurso, que, nas condições existentes, só podem ser nefastos e que não são mais forças produtivas, mas forças destrutivas (maquinaria e dinheiro) – e, em conexão com isso, surge uma classe que tem de suportar todos os encargos da sociedade sem desfrutar de suas vantagens e que, expulsa da sociedade, é forçada à mais decidida oposição a todas as outras classes; uma classe que forma a maioria de todos os membros da sociedade e da qual emana uma consciência da necessidade de uma profunda revolução, a consciência comunista, que, naturalmente, também pode se formar entre as outras classes mediante a contemplação da situação dessa classe; 2) As condições nas quais se podem aplicar forças produtivas determinadas são as condições da dominação de uma classe determinada da sociedade, cujo poder social, derivado de suas posses, encontra sua expressão prático-idealista, em cada caso, na forma do Estado; e, portanto, toda luta revolucionária se volta contra uma classe que prevaleceu até então[27]; 3) Em todas as revoluções anteriores, o tipo de atividade sempre permaneceu intocado, e se tratou apenas de uma distribuição diferente dessa atividade, de uma nova distribuição do trabalho para outras pessoas, ao passo que a revolução comunista se volta contra o *tipo* anterior de atividade, elimina o trabalho[28] e abole a dominação de todas as classes ao abolir as próprias classes, porque ela é efetuada pela classe que não é mais considerada classe na sociedade, não é reconhecida como classe e que já é a expressão da dissolução de todas as classes, nacionalidades etc. dentro da sociedade atual; e 4) Uma transformação massiva dos homens é necessária tanto para a produção massiva dessa consciência comunista, bem como para o êxito da própria causa; uma transformação que só pode acontecer em um movimento prático, uma revolução; essa revolução é necessária, portanto, não só porque a classe dominante não pode ser derrubada de outra forma, mas também porque somente em uma revolução a classe que a derruba pode ter sucesso em sacudir dos ombros toda a velha imundície e se tornar apta a uma nova fundação da sociedade[29].

C – Comunismo – Produção das próprias formas de intercurso

O comunismo difere de todos os movimentos precedentes pelo fato de subverter a base de todas as relações de produção e de intercurso anteriores e, pela primeira vez, tratar conscientemente todos os pressupostos naturais como criações dos homens que existiram até aqui, de despojá-los de seu caráter natural e subjugá-los ao poder dos indivíduos unidos. Sua organização é, portanto, essencialmente econômica, ela é a produção material das condições dessa união; ela torna as condições existentes condições da união. A realidade que o comunismo cria é precisamente a verdadeira base para tornar impossível tudo o que existe, independentemente dos indivíduos, na medida em que a realidade nada mais é que o produto do intercurso prévio dos próprios indivíduos. Portanto, os comunistas, na prática, tratam as condições criadas pela produção e pelo intercâmbio precedentes como inorgânicas, sem imaginar, contudo, que o plano ou a destinação de gerações anteriores era fornecer-lhes o material e sem acreditar que essas condições eram inorgânicas para os indivíduos que as criaram. A diferença entre um indivíduo pessoal e um indivíduo acidental não é uma distinção conceitual, mas um fato histórico. Essa distinção tem significados diferentes em épocas diferentes; por exemplo, o estamento como algo acidental ao indivíduo no século XVIII, e também *plus ou moins* (mais ou menos) a família. É uma distinção que não temos de fazer para cada época, mas que cada época faz dentre os diferentes elementos que encontra em existência, não segundo um conceito, mas forçada pelos conflitos materiais da vida. O que parece acidental à época posterior, por oposição à anterior – e também, portanto, entre os elementos herdados dessa época anterior –, é uma forma de intercurso que corresponde a um desenvolvimento determinado das forças produtivas. A relação entre as forças produtivas e a forma de intercurso é a relação entre a forma de intercurso e a atividade ou ocupação dos indivíduos. (A forma básica dessa atividade é, naturalmente, a material, da qual dependem todas as outras formas – intelectual, política, religiosa etc. É claro, a configuração diversa da vida material é, a cada vez, dependente das necessidades já desenvolvidas, e tanto a criação como a satisfação dessas necessidades são, elas próprias, um processo histórico, que não é encontrado em nenhuma ovelha ou cão (renitente argumento principal de Stirner *adversus hominem* – contra o homem –, embora ovelhas e cães na sua forma atual sejam certamente, mas *malgré eux* – contra a sua vontade –, produtos de um processo histórico). As condições em que os indivíduos têm intercurso uns com outros, enquanto ainda não ocorreu a contradição, são condições inerentes à sua individualidade, não algo externo a eles; são somente essas condições que permitem a esses indivíduos determinados e existentes em circunstâncias determinadas produzir sua vida material e o que está conectado a ela; são condições, portanto, de sua autoatividade e produzidas por essa autoatividade[30]. Portanto, a condição determinada sob a qual eles produzem corresponde, enquanto ainda não ocorreu a contradição, à sua real natureza condicionada, à sua existência limitada, limitação essa que se mostra apenas com a ocorrência da contradição e existe, portanto, para os indivíduos posteriores. Desse modo, essa condição aparece como um entrave acidental; e a consciência de que é um entrave também é imputada à época anterior.

Essas diferentes condições, que primeiramente apareceram como condições da autoatividade e depois como entraves dela, formam em toda a evolução da história uma série conexa de formas de intercurso, cuja conexão consiste no fato de que no lugar da forma de intercurso anterior, que se tornou um entrave, entra uma forma nova que corresponde às forças produtivas mais desenvolvidas e, portanto, ao modo mais avançado de autoatividade dos indivíduos; uma forma que, por seu turno, torna-se novamente um entrave é então substituída por outra. Visto que essas condições correspondem, em cada estágio, ao desenvolvimento simultâneo das forças produtivas, sua história é ao mesmo tempo a história das forças produtivas que se desenvolvem e são herdadas por toda nova geração; e, portanto, ela é a história do desenvolvimento das forças dos próprios indivíduos.

Como esse desenvolvimento ocorre naturalmente, isto é, não está subordinado a um plano geral de indivíduos livremente unidos, ele parte de diferentes localidades, tribos, nações, ramos de trabalho etc., dos quais cada um se desenvolve, de início, independentemente dos outros e só gradualmente entra em conexão com os outros. Além disso, esse desenvolvimento ocorre apenas muito lentamente; os diversos estágios e interesses nunca são completamente superados, mas apenas subordinados ao interesse vitorioso e continuam a arrastar-se por séculos ao lado deste. Segue-se daí que, no interior de uma nação, os indivíduos têm desenvolvimentos totalmente diferentes, mesmo quando se abstraem de suas condições pecuniárias, e também se segue que um interesse anterior, cuja forma peculiar de intercurso já foi suplantada por outra pertencente a um interesse posterior, mantém-se ainda por longo tempo em posse de um poder tradicional na sociedade aparente e que se autonomizou em relação aos indivíduos (Estado, direito), um poder que, em última análise, só pode ser quebrado por uma revolução. Isso também explica por que, em relação a pontos individuais que permitem resumo mais geral, a consciência parece, por vezes, mais avançada do que as condições empíricas contemporâneas, de modo que, nas lutas de uma época posterior, as pessoas possam se apoiar em teóricos anteriores como autoridades.

Por sua vez, em países que, como a América do Norte, começam em uma época já desenvolvida da história, esse desenvolvimento avança muito rapidamente. Esses países não têm outros pressupostos naturais além dos indivíduos que se estabelecem lá e que são induzidos a fazê-lo pelas formas de intercurso dos velhos países, que não correspondem às suas necessidades. Esses países começam, portanto, com os indivíduos mais avançados dos velhos países e, desse modo, com a forma mais desenvolvida de intercurso correspondente a esses indivíduos, mesmo antes que essa forma de intercâmbio tenha podido se impor nos velhos países[31]. Este é o caso de todas as colônias, a menos que sejam meras bases militares ou comerciais. Cartago, as colônias gregas e a Islândia nos séculos XI e XII fornecem exemplos disso. Uma relação semelhante ocorre na conquista, quando a forma de intercurso desenvolvida em outra terra é transplantada pronta para o país conquistado; em sua terra natal, essa forma ainda estava carregada com interesses e condições de épocas anteriores, mas ela pode e deve ser aplicada aqui por completo e sem impedimento, nem que seja para assegurar poder duradouro ao conquistador. (Inglaterra e Nápoles depois da conquista normanda, quando receberam a forma mais acabada de organização feudal.)

Portanto, em nossa concepção, todos os conflitos na história têm sua origem na contradição entre as forças produtivas e a forma de intercurso. De resto, para provocar conflitos em um país, não é necessário que essa contradição seja levada a extremos. A concorrência com países industrialmente mais desenvolvidos, causada pelo aumento do comércio internacional, é suficiente para criar semelhante contradição até mesmo em países com indústria menos desenvolvida (p. ex., o proletariado latente na Alemanha revelado pela concorrência da indústria inglesa).

Essa contradição entre as forças produtivas e a forma de intercurso, que, como vimos, já aconteceu várias vezes na história até agora, sem, contudo, ameaçar sua base, teve de irromper em revolução a cada vez, assumindo, ao mesmo tempo, diferentes formas secundárias, como totalidade de conflitos, como choques de diferentes classes, como contradição de consciência, luta de ideias, luta política etc. De um ponto de vista limitado, pode-se agora destacar uma dessas formas secundárias e considerá-la a base dessas revoluções, o que é tanto mais fácil quando os indivíduos dos quais partem as revoluções nutriam ilusões sobre sua própria atividade, conforme seu nível de cultura e seu estágio de desenvolvimento histórico.

A transformação dos poderes (relações) pessoais em poderes objetivos, efetuada pela divisão do trabalho, não pode ser suprimida pelo fato de banirmos da cabeça essa representação geral, mas somente se os indivíduos novamente subordinarem a si esses poderes objetivos e abolirem a divisão do trabalho[32]. Isso não é possível sem a comunidade. Somente na comunidade (com os outros), cada indivíduo tem os meios para desenvolver suas faculdades em todas as direções; somente na comunidade, portanto, torna-se possível a liberdade pessoal. Nos sucedâneos da comunidade anteriores, no Estado etc., a liberdade pessoal existia apenas para os indivíduos que eram desenvolvidos nas relações da classe dominante e apenas na medida em que eram indivíduos dessa classe. A comunidade aparente, constituída até agora pela união dos indivíduos, sempre se tornou independente em relação a eles e, ao mesmo tempo, por ser uma união de uma classe em contraposição a outra, era não apenas uma comunidade completamente ilusória para a classe dominada, mas também um novo grilhão. Na comunidade real, os indivíduos ganham sua liberdade ao mesmo tempo na associação e por meio dela.

De toda a exposição até aqui, depreende-se que a relação coletiva em que os indivíduos de uma classe entraram, e que era condicionada por seus interesses comuns em oposição a um terceiro, sempre foi uma comunidade a que esses indivíduos pertenciam apenas como indivíduos médios, apenas na medida em que viviam as condições de existência de sua classe, uma relação em que não participavam como indivíduos, mas como membros da classe. Por outro lado, na comunidade de proletários revolucionários, que tomam sob controle suas condições de existência e as de todos os membros da sociedade, ocorre exatamente o inverso; nela os indivíduos participam como indivíduos. É precisamente a união de indivíduos (é claro, sob o pressuposto das forças produtivas agora desenvolvidas) que põe sob seu controle as condições do livre desenvolvimento e do movimento dos indivíduos; condições que, até agora, eram deixadas ao acaso e haviam se autonomizado em relação aos indivíduos singulares justamente por meio de sua separação como indivíduos e de sua necessária união, que fora determinada pela divisão do trabalho mas se tornara, pela separação deles, um vínculo estranho a eles. A associação até agora (de modo nenhum voluntária, como é representada, por exemplo, no *Contrato social*, mas necessária) só era um acordo a respeito das condições no interior das quais os indivíduos podiam desfrutar o acaso (compare-se, por exemplo, a formação do Estado norte-americano e as repúblicas da América do Sul). Esse direito de desfrutar tranquilamente do acaso em certas condições era anteriormente chamado de liberdade pessoal. – Naturalmente, essas condições de existência são apenas as forças produtivas e as formas de intercurso de cada época.

Quando se considera *filosoficamente* esse desenvolvimento dos indivíduos nas condições de existência comuns dos estamentos e classes historicamente sucessivos e nas representações gerais que lhe foram impostas por esse fato, pode-se então facilmente imaginar que a espécie ou o homem se desenvolveu nesses indivíduos, ou que eles desenvolveram o homem; uma visão imaginária que dá algumas fortes bofetadas na história[33]. É possível então conceber esses diferentes estamentos e classes como especificações de expressão geral, como subdivisões do gênero, como fases de desenvolvimento do homem.

Essa subordinação dos indivíduos a certas classes não pode ser abolida antes que se forme uma classe que já não precisa fazer prevalecer um interesse particular de classe contra a classe dominante.

Os indivíduos sempre partiram de si mesmos, mas, naturalmente, dentro de suas condições e relações históricas dadas, não do indivíduo "puro" no sentido dos ideólogos. Mas no curso do desenvolvimento histórico, e precisamente pela autonomização inevitável das relações sociais dentro da divisão de trabalho, surge uma diferença na vida de cada indivíduo, na medida em que ela é pessoal e na medida em que está subordinada a um ramo qualquer do trabalho e às condições associadas a esse ramo. (Isso não deve ser entendido como se, por exemplo, o rentista, o capitalista deixassem de ser pessoas; mas sua personalidade é condicionada e determinada por relações de classe muito definidas, e a diferença ocorre apenas em contraste com outra classe e, para ele próprios, somente quando vão à falência.) No estamento (e ainda mais na tribo) isso ainda está encoberto; por exemplo, um nobre permanece sempre um nobre, um *roturier* (não nobre, plebeu), abstração feita de suas demais relações, permanece um *roturier*; trata-se de uma qualidade inseparável de sua individualidade. A diferença entre o indivíduo pessoal e o indivíduo de classe, o caráter acidental das condições de vida para o indivíduo surgem apenas com o aparecimento da classe, ela própria um produto da burguesia. Esse caráter acidental como tal é produzido e desenvolvido apenas pela concorrência e pela luta dos indivíduos entre si. Na imaginação, portanto, os indivíduos sob o domínio da burguesia são mais livres do que antes, porque suas condições de vida são acidentais para eles; na realidade, é claro, eles são menos livres porque mais subordinados ao poder objetivo. A diferença em relação ao estamento aparecia, sobretudo, na oposição entre burguesia e proletariado. Quando o estamento dos cidadãos urbanos, as corporações etc., apareceram em contraposição à nobreza rural, sua condição de existência – a propriedade mobiliária e o artesanato, que tinham existido de forma latente antes de sua separação dos laços feudais – apareceu como algo positivo que se fez valer contra a propriedade feudal da terra e, por isso, também assumiu inicialmente, à sua maneira, a forma feudal. Por certo, os servos fugitivos tratavam sua servidão precedente como algo acidental à sua personalidade. Mas aqui eles estavam apenas fazendo a mesma coisa que faz toda classe que está se libertando de um grilhão; e eles, então, se libertaram, não como classe, mas isoladamente. Além disso, não saíram do domínio do sistema de estamentos, mas formaram apenas um novo estamento e conservaram seu modo anterior de trabalho na nova posição também e desenvolveram esse modo de trabalho ao libertá-lo de seus grilhões anteriores, que não correspondiam mais ao seu desenvolvimento já alcançado[34].

Para os proletários, ao contrário, sua própria condição de vida, o trabalho, e assim todas as condições de vida da sociedade atual, tornaram-se algo acidental, sobre o qual os proletários individuais não têm nenhum controle e sobre o qual nenhuma organização *social* pode lhes dar ter controle. E a contradição entre a personalidade do proletário individual e sua condição de vida que lhe é imposta, o trabalho, torna-se evidente para ele mesmo, especialmente porque ele já é sacrificado desde a juventude e porque, no interior de sua classe, não terá chance de alcançar as condições que o coloquem na outra classe.

Portanto, enquanto os servos fugitivos pretendiam apenas desenvolver livremente e fazer valer suas condições de existência já presentes e, portanto, em última instância, só alcançaram o trabalho livre, os proletários, para se fazerem valer como pessoas, têm de abolir sua própria condição prévia de existência que é, ao mesmo tempo, a de toda a sociedade até aqui, ou seja, o trabalho. Por isso, eles também estão em oposição direta à forma pela qual os indivíduos da sociedade deram a si mesmos até aqui uma expressão conjunta, isto é, em oposição ao Estado. E devem derrubar o Estado a fim de impor sua personalidade.

2
Teses sobre Feuerbach

1) A principal deficiência de todo o materialismo até aqui – incluindo o de Feuerbach – é que a coisa, a realidade, a sensibilidade são concebidos apenas sob a forma de *objeto* ou *intuição*, mas não como *atividade humana sensível*, *prática*, não subjetivamente. Por isso, o lado *ativo* foi desenvolvido pelo idealismo, por oposição ao materialismo, apenas abstratamente, uma vez que o idealismo, é claro, não conhece a atividade real, sensível como tal. Feuerbach quer objetos sensíveis, realmente diferentes dos objetos do pensamento; mas ele não concebe a própria atividade humana como uma atividade *objetiva*. Por essa razão, na *Essência do cristianismo*, ele considera autenticamente humano apenas o comportamento teórico, enquanto a prática é compreendida e fixada apenas em sua forma de manifestação judaica-suja. Ele não entende, portanto, o significado da atividade "revolucionária", prático-crítica.

2) A questão se devemos atribuir verdade objetiva ao pensamento humano não é uma questão teórica, mas uma questão *prática*. É na prática que o homem deve provar a verdade, isto é, a realidade e a potência, a mundanidade de seu pensamento. A disputa sobre a realidade ou não realidade de um pensamento que se isola da prática é uma questão puramente *escolástica*.

3) A doutrina materialista de que os homens são produtos das circunstâncias e da educação, e de que homens transformados são, portanto, produtos de outras circunstâncias e de uma educação modificada, esquece que as circunstâncias são mudadas precisamente pelos homens e que o próprio educador deve ser educado. Portanto, ela tende necessariamente a dividir a sociedade em duas partes, uma das quais está acima da sociedade (p. ex., em Robert Owen).

A coincidência na modificação das circunstâncias e da atividade humana só pode ser concebida e racionalmente entendida como uma *prática revolucionária*.

4) Feuerbach parte do fato da autoalienação religiosa, da duplicação do mundo em um mundo religioso, imaginário e um mundo real. Seu trabalho consiste em dissolver o mundo religioso em sua base terrena. Ele ignora que, após a conclusão deste trabalho, resta ainda por fazer o principal. A saber, o fato de que a base terrena se destaca de si mesma e se fixa nas nuvens como um império independente só pode ser explicado precisamente pelo autoesfacelamento e autocontradição dessa base terrena. Ela própria deve, portanto, ser primeiramente entendida em sua contradição e, então, ser revolucionada na prática pela eliminação da contradição. Assim, por exemplo, tão logo se descobre que a família terrena é o segredo da sagrada família, a primeira deve ser então, ela própria, criticada na teoria e revolucionada na prática.

5) Não satisfeito com o pensamento abstrato, Feuerbach apela à *intuição sensível*; mas ele não concebe a sensibilidade como uma atividade humana sensível, *prática*.

6) Feuerbach dissolve a essência religiosa na essência humana. Mas a essência humana não é uma abstração inerente ao indivíduo. Em sua realidade, ela é o conjunto das relações sociais.

Feuerbach, que não procede a uma crítica dessa essência real, é, portanto, forçado a:

a) abstrair do curso histórico e estipular o sentimento religioso em si mesmo e pressupor um indivíduo humano abstrato – *solado*;

b) por isso, o ser humano só pode ser concebido como "espécie", como uma universalidade interna, muda, que une os diversos indivíduos de modo puramente *natural*.

7) Por conseguinte, Feuerbach não vê que o "sentimento religioso" é, ele próprio, um produto social e que o indivíduo abstrato que ele analisa pertence, na realidade, a uma forma determinada de sociedade.

8) A vida social é essencialmente *prática*. Todos os mistérios que desencaminham a teoria para o misticismo encontram sua solução racional na prática humana e na compreensão dessa prática.

9) O ponto mais alto alcançado pelo materialismo intuitivo, isto é, o materialismo que não concebe a sensibilidade como uma atividade prática, é a visão dos indivíduos singulares na "sociedade burguesa".

10) O ponto de vista do materialismo antigo é a sociedade "burguesa"; o ponto de vista do novo materialismo é a sociedade *humana* ou a humanidade socializada.

11) Os filósofos apenas *interpretaram* o mundo de maneiras diferentes; o que importa, contudo, é *transformá*-lo.

Notas

1. [Riscado no manuscrito:] O idealismo alemão não se distingue por nenhuma diferença específica da ideologia de todos os outros povos. Esta também considera o mundo como dominado por ideias, as ideias e conceitos como princípios determinantes, e certos pensamentos como o mistério do mundo material acessível aos filósofos.

Hegel completara o idealismo positivo. Não apenas todo o mundo material havia se transformado para ele num mundo de ideias e toda a história numa história de ideias. Ele não se contenta em registrar as coisas do pensamento, mas também tenta representar o ato de produção.

Os filósofos alemães, sacudidos de seu mundo de sonhos, protestaram contra o mundo das ideias, que a ideia do real, corp[óreo...]

Todos os críticos filosóficos alemães afirmam que ideias, representações, conceitos até agora dominaram e determinaram o homem real, que o mundo real é um produto do mundo das ideias. Isso acontece até este momento, mas deve mudar. Eles diferem na maneira pela qual querem redimir o mundo humano, que desse modo, segundo sua visão, suspira sob o poder de suas próprias ideias fixas; eles diferem naquilo que chamam de ideias fixas; eles concordam na crença nessa dominação das ideias, concordam na crença de que seu ato de pensamento crítico provocará forçosamente a queda do existente, seja ao considerarem suficiente sua atividade intelectual isolada, seja ao quererem conquistar a consciência geral.

A crença de que o mundo real é o produto do mundo ideal, do mundo das ideias [...]

Tendo perdido a confiança em seu mundo hegeliano de ideias, os filósofos alemães protestaram contra a dominação dos pensamentos, ideias, concepções, que até agora, segundo sua visão, isto é, segundo a *ilusão* de Hegel, produziram, determinaram, dominaram o mundo real. Eles protestam e morrem [...]

Segundo o sistema de ideias hegeliano, os pensamentos, conceitos haviam produzido, determinado, dominado a vida real dos homens, seu mundo material, suas relações reais. Seus discípulos rebeldes tomam isso dele [...]

2. [Riscado no manuscrito:] Por isso, antepomos à crítica específica dos representantes individuais desse movimento algumas considerações gerais (. Essas observações serão suficientes para indicar o ponto de vista de nossa crítica tanto quanto for necessário para compreender e justificar as críticas individuais subsequentes. Opomos essas observações diretamente a Feuerbach por ser ele o único que pelo menos fez algum progresso e cujos trabalhos podem ser examinados de *bonne foi* (boa fé), que elucidarão os pressupostos ideológicos comuns a todos eles. 1) A ideologia em geral, e especialmente a filosofia alemã – Nós conhecemos apenas uma ciência, a ciência da história. A história pode ser vista de dois lados e dividida em história da natureza e história dos homens. Ambos os lados são, portanto, inseparáveis; enquanto existirem os homens, a história da natureza e a história dos homens se condicionarão mutuamente. A história da natureza, a chamada ciência natural, não nos interessa aqui; devemos, no entanto, examinar a história dos homens, pois quase toda a ideologia se reduz ou a uma concepção distorcida dessa história ou a uma abstração total dela. A própria ideologia é apenas um dos aspectos dessa história.

3. [Riscado no manuscrito:] ... que se apresentou com a pretensão de ser a salvadora absolu-

ta do mundo contra todo o mal. A religião foi continuamente considerada e tratada como causa última de todas as relações repugnantes a esses filósofos, como arqui-inimiga.

4. [Riscado no manuscrito:] O primeiro *ato histórico* desses indivíduos, que os diferencia dos animais, não é o fato de que pensam, mas o fato de que começam a *produzir seus meios de vida*.

5. [Riscado no manuscrito:] Estas condições determinam não apenas a organização original, natural, dos homens, especialmente as diferenças raciais, mas também seu desenvolvimento posterior ou não desenvolvimento até os dias atuais.

6. [Riscado no manuscrito:] As ideias que esses indivíduos formam são ideias sobre sua relação com a natureza ou sobre sua relação entre si, ou sobre sua própria natureza. É evidente que, em todos esses casos, essas ideias são a expressão consciente – real ou ilusória – de suas relações e atividades reais, de sua produção, sua circulação, sua organização social e política. A suposição oposta só é possível se, além do espírito dos indivíduos reais, materialmente condicionados, alguém pressupuser ainda um espírito à parte. Se a expressão consciente das relações reais desses indivíduos é ilusória, se eles, em suas representações, põem sua realidade de cabeça para baixo, isso, por sua vez, é consequência de seu modo limitado de atividade material e de suas relações sociais limitadas daí derivadas.

7. [Nota marginal de Marx:] *Hegel*. Condições geológicas, hidrográficas etc. Os corpos humanos. Necessidade. Trabalho.

8. Construção de casas. É escusado dizer que, entre os selvagens, cada família tem sua própria caverna ou cabana, assim como há, entre os nômades, uma tenda separada para cada família. Essa economia doméstica separada torna-se ainda mais necessária pela continuação do desenvolvimento da proprieda-

de privada. Entre os povos agrícolas, a economia doméstica comum é tão impossível quanto o cultivo comum do solo. A construção das cidades foi um grande avanço. No entanto, em todos os períodos anteriores, a abolição da economia separada, inseparável da abolição da propriedade privada, era impossível pelo simples motivo de que faltavam condições materiais. O estabelecimento de uma economia doméstica comum pressupõe o desenvolvimento da maquinaria, do uso das forças naturais e de muitas outras forças produtivas – por exemplo, canalização da água, iluminação a gás, aquecimento a vapor etc., superação (da oposição) da cidade e do campo. Sem essas condições, a economia comum não seria, ela própria, uma nova força produtiva, seria desprovida de qualquer base material, descansaria sobre uma base meramente teórica, isto é, seria um mero capricho e levaria apenas a uma economia monástica. O que era possível pode ser visto nas aglutinações que originam cidades e na construção de edifícios comuns para vários fins específicos (prisões, casernas etc.). É autoevidente que a abolição da economia separada é inseparável da abolição da família.

9. Os homens têm história porque devem *produzir* sua vida e devem produzi-la de uma maneira *determinada*: isso é dado por sua organização física; bem como sua consciência.

10. [Riscado no manuscrito:] Minha relação com meu entorno é minha consciência.

11. [Nota marginal de Marx:] A primeira forma de ideólogos, *padres*, coincide.

12. [Nota marginal de Marx:] Religião. Os alemães com a *ideologia* como tal.

13. [Riscado no manuscrito:] Até agora, consideramos principalmente apenas um dos aspectos da *atividade humana*, o trabalho da natureza pelos homens. O outro aspecto, o *trabalho dos* homens pelos humanos ...

Origem do Estado e a relação do Estado com a sociedade civil.

14. [Nota marginal de Marx:] A assim chamada historiografia objetiva consistia precisamente em considerar as condições históricas separadamente da atividade. Caráter reacionário.

15. N.B. O erro de Feuerbach não está no fato de subordinar o que é imediatamente óbvio, a aparência sensível, à realidade sensível estabelecida pelo exame mais detalhado dos fatos sensíveis, mas no fato de, em última instância, não poder lidar com a sensibilidade sem considerá-la com os "olhos", isto é, pelas "lentes" do *filósofo*.

16. [Riscado no manuscrito:] Se aqui ainda tratamos da história mais detidamente, é porque os alemães estão acostumados a imaginar, com as palavras "história" e "histórico", tudo o que é possível, mas não a realidade; um brilhante exemplo disso é, em especial, São Bruno, com sua "eloquência de púlpito".

17. [Riscado no manuscrito:] Estes "conceitos dominantes" terão uma forma tanto mais geral e abrangente quanto mais a classe dominante se vê obrigada a representar o seu interesse como o interesse de todos os membros da sociedade. Em média, a própria classe dominante nutre a concepção de que esses seus conceitos dominaram; e ela os distingue das ideias dominantes em épocas anteriores apenas representando-os como verdades eternas.

18. [Nota marginal de Marx:] A universalidade corresponde: 1) à classe contra o estamento; 2) à concorrência, ao comércio mundial etc.; 3) à numerosidade da classe dominante; 4) à ilusão dos interesses *comuns* (no começo, esta ilusão é verdadeira); 5) ao engodo dos ideólogos e à divisão do trabalho.

19. [Nota marginal de Marx:] *O* homem = o "espírito humano pensante".

20. [Nota marginal de Marx:] Ela absorve inicialmente os ramos do trabalho diretamente pertencentes ao Estado, e depois todos os estamentos mais ou menos ideológicos.

21. [Nota marginal de Marx:] pequenos burgueses – classe média – grande burguesia.

22. O movimento do capital, embora significativamente acelerado, ainda permaneceu relativamente lento. A fragmentação do mercado mundial em partes separadas, cada uma delas explorada por uma nação particular, a exclusão da concorrência entre as nações, o desajeitamento da produção em si e fato de que o sistema financeiro estava apenas em seus primeiros estágios de desenvolvimento, impediram bastante a circulação. A consequência disso foi um espírito mesquinho e imundo de merceeiro, que ainda se ligava a todos os comerciantes e a todo o modo de conduzir negociações. Em comparação com os manufatureiros e os artesãos em geral, eles eram, certamente, grandes burgueses, mas, comparados com os comerciantes e industriais do período seguinte, eles permanecem pequeno-burgueses.

23. A concorrência isola os indivíduos uns dos outros, não apenas os burgueses, mas também os proletários, apesar do fato de que os une. Portanto, leva muito tempo para que esses indivíduos possam se unir, à parte o fato de que, para os propósitos dessa união – para que não seja meramente local –, os meios necessários, as grandes cidades industriais e as comunicações rápidas e baratas devem primeiramente ser produzidas pela grande indústria. E, portanto, todo poder organizado em face desses indivíduos isolados, que vive em condições que reproduzem o isolamento diariamente, só pode ser derrotado após longas lutas. Exigir o contrário significaria o mesmo que exigir que a concorrência não deva existir nesta época determinada da história, ou que os indivíduos devam apagar de sua mente as relações sobre as quais eles, como indivíduos isolados, não têm controle.

24. [Nota marginal de Engels:] (Usura!)

25. *Relação para os filósofos* = *ideia*. Eles só conhecem a relação "*do* homem" consigo mesmo; portanto, todas as relações reais tornam-se ideias para eles.

26. [Nota marginal de Engels:] Sismondi.

27. [Nota marginal de Marx:] As pessoas estão interessadas em preservar o atual estado de produção.

28. [Riscado no manuscrito:] [...] a forma moderna de atividade sob o domínio da...

29. [Riscado no manuscrito:] Enquanto todos os comunistas, tanto na França, como na Inglaterra e na Alemanha, há muito estão de acordo sobre essa necessidade da revolução, São Bruno continua a sonhar tranquilamente e pensa que o "humanismo real", isto é, o comunismo, só será colocado "no lugar do espiritualismo" (que não tem lugar algum) para que ganhe respeito. Então, continua ele a sonhar, "a salvação" teria "chegado à terra, o céu se tornando terra, e terra se tornando céu". (O teólogo ainda não consegue esquecer o céu.) "Então a alegria e o deleite ressoarão nas harmonias celestiais por toda a eternidade" (p. 140). O Santo Padre da Igreja certamente ficará bastante surpreso quando no dia do juízo final, em que tudo isso se cumpre, romper sobre ele – um dia cuja aurora é o reflexo das cidades em chamas no céu, quando ecoar em seu ouvido, em meio a essas "harmonias celestiais", a melodia da Marselhesa e da Carmagnole com estrondo dos indispensáveis canhões e a guilhotina a marcar o compasso; quando a "massa" infame rugir *ça ira, ça ira* e suprimir a "autoconsciência" por meio das lanternas. São Bruno não tem o menor motivo para traçar um quadro edificante da "alegria e deleite por toda a eternidade". Nós nos abstemos do prazer de construir *a priori* a conduta de São Bruno no dia do juízo final. Também é difícil decidir se os *prolétaires en révolution* devem ser concebidos como "substância", como "massa" que quer derrubar as críticas, ou como "emanação" do es-

pírito, à qual falta, no entanto, a consistência necessária para digerir as ideias de Bauer.

30. [Nota marginal de Marx:] Produção da própria forma de intercurso.

31. Energia pessoal de indivíduos de nações diversas – alemães e americanos – energia até mesmo pela miscigenação – daí o cretinismo dos alemães; na França, Inglaterra, etc. povos estrangeiros transplantados para um solo já desenvolvido; na América, para um solo totalmente novo; na Alemanha, a população nativa permaneceu tranquilamente onde estava.

32. [Nota marginal de Engels:] (Feuerbach: ser e essência).

33. A asserção que ocorre com frequência em São Max – de que cada um é tudo o que é por meio do Estado – é basicamente a mesma asserção de que o burguês é apenas um exemplar da espécie burguesa; uma asserção que pressupõe que a *classe* da burguesia já existia antes dos indivíduos que a constituem. [Nota marginal de Marx para esta sentença:] *Preexistência* da classe entre os filósofos.

34. N.B. Não se deve esquecer que a própria necessidade dos servos de existir, e a impossibilidade de uma economia em larga escala, que implicava a distribuição de lotes aos servos, reduziram muito rapidamente as obrigações dos servos para com o senhor feudal a uma média de suprimentos em espécie e prestações de corveia, o que possibilitou aos servos a acumulação de propriedade mobiliária e, com isso, facilitou sua fuga da posse de seu senhor e lhe deu perspectiva de subsistência como cidadãos urbanos; isso também criou gradações entre os servos, de modo que os servos fugitivos já eram semiburgueses. Isso também mostra que os camponeses servos que dominavam um ofício tinham mais chance de adquirir propriedade mobiliária.

Vozes de Bolso

- *Assim falava Zaratustra* – Friedrich Nietzsche
- *O Príncipe* – Nicolau Maquiavel
- *Confissões* – Santo Agostinho
- *Brasil: nunca mais* – Mitra Arquidiocesana de São Paulo
- *A arte da guerra* – Sun Tzu
- *O conceito de angústia* – Søren Aabye Kierkegaard
- *Manifesto do Partido Comunista* – Friedrich Engels e Karl Marx
- *Imitação de Cristo* – Tomás de Kempis
- *O homem à procura de si mesmo* – Rollo May
- *O existencialismo é um humanismo* – Jean-Paul Sartre
- *Além do bem e do mal* – Friedrich Nietzsche
- *O abolicionismo* – Joaquim Nabuco
- *Filoteia* – São Francisco de Sales
- *Jesus Cristo Libertador* – Leonardo Boff
- *A Cidade de Deus – Parte I* – Santo Agostinho
- *A Cidade de Deus – Parte II* – Santo Agostinho
- *O conceito de ironia constantemente referido a Sócrates* – Søren Aabye Kierkegaard
- *Tratado sobre a clemência* – Sêneca
- *O ente e a essência* – Santo Tomás de Aquino
- *Sobre a potencialidade da alma – De quantitate animae* – Santo Agostinho
- *Sobre a vida feliz* – Santo Agostinho
- *Contra os acadêmicos* – Santo Agostinho
- *A Cidade do Sol* – Tommaso Campanella
- *Crepúsculo dos ídolos ou Como se filosofa com o martelo* – Friedrich Nietzsche
- *A essência da filosofia* – Wilhelm Dilthey
- *Elogio da loucura* – Erasmo de Roterdã
- *Utopia* – Thomas Morus
- *Do contrato social* – Jean-Jacques Rousseau
- *Discurso sobre a economia política* – Jean-Jacques Rousseau
- *Vontade de potência* – Friedrich Nietzsche
- *A genealogia da moral* – Friedrich Nietzsche
- *O banquete* – Platão
- *Os pensadores originários* – Anaximandro, Parmênides, Heráclito
- *A arte de ter razão* – Arthur Schopenhauer
- *Discurso sobre o método* – René Descartes
- *Que é isto – A filosofia?* – Martin Heidegger
- *Identidade e diferença* – Martin Heidegger
- *Sobre a mentira* – Santo Agostinho
- *Da arte da guerra* – Nicolau Maquiavel
- *Os direitos do homem* – Thomas Paine
- *Sobre a liberdade* – John Stuart Mill
- *Defensor menor* – Marsílio de Pádua
- *Tratado sobre o regime e o governo da cidade de Florença* – J. Savonarola

- *Primeiros princípios metafísicos da Doutrina do Direito* – Immanuel Kant
- *Carta sobre a tolerância* – John Locke
- *A desobediência civil* – Henry David Thoureau
- *A ideologia alemã* – Karl Marx e Friedrich Engels
- *O conspirador* – Nicolau Maquiavel
- *Discurso de metafísica* – Gottfried Wilhelm Leibniz
- *Segundo tratado sobre o governo civil e outros escritos* – John Locke
- *Miséria da filosofia* – Karl Marx
- *Escritos seletos* – Martinho Lutero
- *Escritos seletos* – João Calvino
- *Que é a literatura?* – Jean-Paul Sartre
- *Dos delitos e das penas* – Cesare Beccaria
- *O anticristo* – Friedrich Nietzsche
- *À paz perpétua* – Immanuel Kant
- *A ética protestante e o espírito do capitalismo* – Max Weber
- *Apologia de Sócrates* – Platão
- *Da república* – Cícero
- *O socialismo humanista* – Che Guevara
- *Da alma* – Aristóteles
- *Heróis e maravilhas* – Jacques Le Goff
- *Breve tratado sobre Deus, o ser humano e sua felicidade* – Baruch de Espinosa
- *Sobre a brevidade da vida & Sobre o ócio* – Sêneca
- *A sujeição das mulheres* – John Stuart Mill
- *Viagem ao Brasil* – Hans Staden
- *Sobre a prudência* – Santo Tomás de Aquino
- *Discurso sobre a origem e os fundamentos da desigualdade entre os homens* – Jean-Jacques Rousseau
- *Cândido, ou o otimismo* – Voltaire
- *Fédon* – Platão
- *Sobre como lidar consigo mesmo* – Arthur Schopenhauer
- *O discurso da servidão ou O contra um* – Étienne de La Boétie
- *Retórica* – Aristóteles
- *Manuscritos econômico-filosóficos* – Karl Marx
- *Sobre a tranquilidade da alma* – Sêneca
- *Uma investigação sobre o entendimento humano* – David Hume
- *Meditações metafísicas* – René Descartes
- *Política* – Aristóteles
- *As paixões da alma* – René Descartes
- *Ecce homo* – Friedrich Nietzsche
- *A arte da prudência* – Baltasar Gracián
- *Como distinguir um bajulador de um amigo* – Plutarco
- *Como tirar proveito dos seus inimigos* – Plutarco
- *Solilóquios / Da imortalidade da alma* – Santo Agostinho
- *Meditações* – Marco Aurélio
- *A doutrina cristã* – Santo Agostinho

Conecte-se conosco:

- **f** facebook.com/editoravozes
- ⓘ @editoravozes
- 🐦 @editora_vozes
- ▶ youtube.com/editoravozes
- 🟢 +55 24 2233-9033

www.vozes.com.br

Conheça nossas lojas:

www.livrariavozes.com.br

Belo Horizonte – Brasília – Campinas – Cuiabá – Curitiba
Fortaleza – Juiz de Fora – Petrópolis – Recife – São Paulo

EDITORA VOZES LTDA.
Rua Frei Luís, 100 – Centro – Cep 25689-900 – Petrópolis, RJ
Tel.: (24) 2233-9000 – E-mail: vendas@vozes.com.br